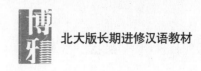

普通高等教育"十一五"国家级规划教材　　北大版长期进修汉语教材

Boya Chinese

Elementary

Second Edition ┃ 第二版

博雅汉语·初级起步篇

李晓琪　主编

徐晶凝　任雪梅　编著

北京大学出版社
PEKING UNIVERSITY PRESS

图书在版编目（CIP）数据

博雅汉语. 初级起步篇 II／李晓琪主编；徐晶凝，任雪梅编著. —2 版. —北京：北京大学出版社，2013.4

（北大版长期进修汉语教材）

ISBN 978-7-301-21539-5

Ⅰ. 博…　Ⅱ. ①李…　②徐…　③任…　Ⅲ. ①汉语—对外汉语教学—教材　Ⅳ. ①H195.4

中国版本图书馆 CIP 数据核字（2012）第 265558 号

书　　　　名：	博雅汉语·初级起步篇 II　（第二版）
著作责任者：	李晓琪　主编　徐晶凝　任雪梅　编著
中 文 编 辑：	吕幼筠　周　鹏
外 文 编 辑：	孙　娴　崔　虎　李　哲
标 准 书 号：	ISBN 978-7-301-21539-5/H · 3176
出 版 发 行：	北京大学出版社
地　　　　址：	北京市海淀区成府路 205 号　100871
网　　　　址：	http://www. pup. cn　新浪官方微博：@北京大学出版社
电 子 信 箱：	zpup@ pup. cn
电　　　　话：	邮购部 62752015　发行部 62750672　编辑部 62752028　出版部 62754962
印 刷　　者：	北京大学印刷厂
经 销　　者：	新华书店
	889 毫米×1194 毫米　16 开本　19 印张　325 千字
	2005 年 2 月第 1 版
	2013 年 4 月第 2 版　2015 年 8 月第 5 次印刷
定　　　　价：	64. 00 元（含 MP3 光盘 1 张）

第二版前言

　　2004年,《博雅汉语》系列教材的第一个级别——《初级起步篇》在北京大学出版社问世,之后其余三个级别《准中级加速篇》《中级冲刺篇》和《高级飞翔篇》也陆续出版。八年来,《博雅汉语》一路走来,得到了同行比较广泛的认同,同时也感受到了各方使用者的关心和爱护。为使《博雅汉语》更上一层楼,更加符合时代对汉语教材的需求,也为了更充分更全面地为使用者提供方便,《博雅汉语》编写组全体同仁在北京大学出版社的提议下,于2012年对该套教材进行了全面修订,主要体现在:

　　首先,作为系列教材,《博雅汉语》更加注意四个级别的分段与衔接,使之更具内在逻辑。为此,编写者对每册书的选文与排序,生词的多寡选择,语言点的确定和解释,以及练习设置的增减都进行了全局的调整,使得四个级别的九册教材既具有明显的阶梯性,由浅入深,循序渐进,又展现出从入门到高级的整体性,翔实有序,科学实用。

　　其次,本次修订为每册教材都配上了教师手册或使用手册,《初级起步篇》还配有学生练习册,目的是为使用者提供最大的方便。在使用手册中,每课的开篇就列出本课的教学目标和要求,使教师和学生都做到心中有数。其他内容主要包括:教学环节安排、教学步骤提示、生词讲解和扩展学习、语言点讲解和练习、围绕本课话题的综合练习题、文化背景介绍,以及测试题和练习参考答案等。根据需要,《初级起步篇》中还有汉字知识的介绍。这样安排的目的,是希望既有助于教学经验丰富的教师进一步扩大视野,为他们提供更多参考,又能帮助初次使用本教材的教师从容地走进课堂,较为轻松顺利地完成教学任务。

　　再次,每个阶段的教材,根据需要,在修订方面各有侧重。

　　《初级起步篇》:对语音教学的呈现和练习形式做了调整和补充,强化发音训练;增加汉字练习,以提高汉字书写及组词能力;语言点的注释进行了调整和补充,力求更为清晰有序;个别课文的顺序和内容做了微调,以增加生词的重现率;英文翻译做了全面校订;最大的修订是练习部分,除了增减完善原有练习题外,还将课堂练习和课后复习分开,增设了学生练习册。

　　《准中级加速篇》:单元热身活动进行了调整,增强了可操作性;生词表中的英文翻译除了针对本课所出义项外,增加了部分常用义项的翻译;生词表后设置了"用刚学过的词语回答下面的问题"的练习,便于学习者进行活用和巩固;语言点的解释根据学生常出现的问题增加了注意事项;课文和语言点练习进行了调整,以更加方便教学。

　　《中级冲刺篇》:替换并重新调整了部分主副课文,使内容更具趣味性,词汇量的递增也更具科学性;增加了"词语辨析"栏目,对生词中出现的近义词进行精到的讲解,以方便教师和学习者;调整了部分语言点,使中高级语法项目的容量更加合理;加强了语段练习力度,增加了相应的练习题，使中高级语段练习更具可操作性。

《高级飞翔篇》：生词改为旁注，以加快学习者的阅读速度，也更加方便学习者查阅；在原有的"词语辨析"栏目下，设置"牛刀小试"和"答疑解惑"两个板块，相信可以更加有效地激发学习者的内在学习动力；在综合练习中，增加了词语扩展内容，同时对关于课文的问题和扩展性思考题进行了重新组合，使练习安排的逻辑更加清晰。

最后，在教材的排版和装帧方面，出版社投入了大量精力，倾注了不少心血。封面重新设计，使之更具时代特色；图片或重画，或修改，为教材锦上添花；教材的色彩和字号也都设计得恰到好处，为使用者展现出全新的面貌。

我们衷心地希望广大同仁继续使用《博雅汉语》第二版，并与我们建立起密切的联系，希望在我们的共同努力下，打造出一套具有时代特色的优秀教材。

在《博雅汉语》第二版即将出版之际，作为主编，我衷心感谢北京大学对外汉语教育学院的八位作者。你们在对外汉语教学领域都已经辛勤耕耘了将近二十年，是你们的经验和智慧成就了本套教材，是你们的心血和汗水浇灌着《博雅汉语》茁壮成长，谢谢你们！我也要感谢为本次改版提出宝贵意见的各位同仁，你们为本次改版提供了各方面的建设性思路，你们的意见代表着一线教师的心声，本次改版也融入了你们的智慧。我还要谢谢北京大学出版社汉语编辑部，感谢你们选定《博雅汉语》进行改版，感谢你们在这么短的时间内完成《博雅汉语》第二版的编辑和出版！

李晓琪

2012年5月

第一版前言

　　语言是人类交流信息、沟通思想最直接的工具，是人们进行交往最便捷的桥梁。随着中国经济、社会的蓬勃发展，世界上学习汉语的人越来越多，对各类优秀汉语教材的需求也越来越迫切。为了满足各界人士对汉语教材的需求，北京大学一批长期从事对外汉语教学的优秀教师在多年积累的经验之上，以第二语言学习理论为指导，编写了这套新世纪汉语精品教材。

　　语言是工具，语言是桥梁，但语言更是人类文明发展的结晶。语言把社会发展的成果一一固化在自己的系统里。因此，语言不仅是文化的承载者，语言自身就是一种重要的文化。汉语，走过自己的漫长道路，更具有其独特深厚的文化积淀，她博大、她典雅，是人类最优秀的文化之一。正是基于这种认识，我们将本套教材定名《博雅汉语》。

　　《博雅汉语》共分四个级别——初级、准中级、中级和高级。掌握一种语言，从开始学习到自由运用，要经历一个过程。我们把这一过程分解为起步——加速——冲刺——飞翔四个阶段，并把四个阶段的教材分别定名为《起步篇》（Ⅰ、Ⅱ）、《加速篇》（Ⅰ、Ⅱ）、《冲刺篇》（Ⅰ、Ⅱ）和《飞翔篇》（Ⅰ、Ⅱ、Ⅲ）。全套书共九本，既适用于本科的四个年级，也适用于处于不同阶段的长、短期汉语进修生。这是一套思路新、视野广，实用、好用的新汉语系列教材。我们期望学习者能够顺利地一步一步走过去，学完本套教材以后，可以实现在汉语文化的广阔天空中自由飞翔的目标。

　　第二语言的学习，在不同阶段有不同的学习目标和特点。《博雅汉语》四个阶段的编写既遵循汉语教材的一般性编写原则，也充分考虑到各阶段的特点，力求较好地体现各自的特色和目标。

　　《起步篇》

　　运用结构、情景、功能理论，以结构为纲，寓结构、功能于情景之中，重在学好语言基础知识，为"飞翔"做扎实的语言知识准备。

　　《加速篇》

　　运用功能、情景、结构理论，以功能为纲，重在训练学习者在各种不同情景中的语言交际能力，为"飞翔"做比较充分的语言功能积累。

　　《冲刺篇》

　　以话题理论为原则，为已经基本掌握了基础语言知识和交际功能的学习者提供经过精心选择的人类共同话题和反映中国传统与现实的话题，目的是在新的层次上加强对学习者运用特殊句型、常用词语和成段表达能力的培养，推动学习者自觉地进入"飞翔"阶段。

《飞翔篇》

　　以语篇理论为原则，以内容深刻、语言优美的原文为范文，重在体现人文精神、突出人类共通文化，展现汉语篇章表达的丰富性和多样性，让学习者凭借本阶段的学习，最终能在汉语的天空中自由飞翔。

　　为实现上述目的，《博雅汉语》的编写者对四个阶段的每一具体环节都统筹考虑，合理设计。各阶段生词阶梯大约为 1000、3000、5000 和 10000，前三阶段的语言点分别为：基本覆盖甲级，涉及乙级——完成乙级，涉及丙级——完成丙级，兼顾丁级。《飞翔篇》的语言点已经超出了现有语法大纲的范畴。各阶段课文的长度也呈现递进原则：600 字以内、1000 字以内、1500~1800 字、2000~2500 字不等。学习完《博雅汉语》的四个不同阶段后，学习者的汉语水平可以分别达到 HSK 的 3 级、6 级、8 级和 11 级。此外，全套教材还配有教师用书，为选用这套教材的教师最大可能地提供方便。

　　综观全套教材，有如下特点：

　　针对性：使用对象明确，不同阶段采取各具特点的编写理念。

　　趣味性：内容丰富，贴近学生生活，立足中国社会，放眼世界，突出人类共通文化；练习形式多样，版面活泼，色彩协调美观。

　　系统性：词汇、语言点、语篇内容及练习形式体现比较强的系统性，与 HSK 协调配套。

　　科学性：课文语料自然、严谨；语言点解释科学、简明；内容编排循序渐进；词语、句型注重重现率。

　　独创性：本套教材充分考虑汉语自身的特点，充分体现学生的学习心理与语言认知特点，充分吸收现在外语教材的编写经验，力求有所创新。

　　我们希望《博雅汉语》能够使每个准备学习汉语的学生都对汉语产生浓厚的兴趣，使每个已经开始学习汉语的学生都感到汉语并不难学。学习汉语实际上是一种轻松愉快的体验，只要付出，就可以快捷地掌握通往中国文化宝库的金钥匙。我们也希望从事对外汉语教学的教师都愿意使用《博雅汉语》，并与我们建立起密切的联系，通过我们的共同努力，使这套教材日臻完善。

　　我们祝愿所有使用这套教材的汉语学习者都能取得成功，在汉语的天地自由飞翔！

　　最后，我们还要特别感谢北京大学出版社的各位编辑，谢谢他们的积极支持和辛勤劳动，谢谢他们为本套教材的出版所付出的心血和汗水！

李晓琪

2004 年 6 月于勺园

lixiaoqi@pku.edu.cn

编写说明

本教材是《博雅汉语》系列精读教材的初级部分 ——《初级起步篇Ⅱ》，适合已经掌握约 500 个词语的学生使用。

本教材采用以结构为纲，寓结构、功能于情景之中的编写原则，力求为学生以后的学习打下比较坚实的语言基础。在内容的编写与选取方面，突出实用性，力求场景的真实自然，除了选取包括校园及其他与学生的日常生活密切相关的场景外，也选编了一些富有人文性或趣味性的小文章，以使学生的视野更加开阔，帮助他们逐渐使用汉语表达较为复杂的思想。在全书文体的安排上，前半部分课文采用对话体和短文两种形式，后半部分则完全采用短文体，为学习者向准中级阶段过渡做好充分的准备。

练习的设计则以帮助学生逐步提高汉语综合能力为原则，涉及听说读写各种技能的训练，有汉字练习、词汇练习、语言点练习、成段表达练习与阅读理解练习。我们希望，通过本书的学习，学习者可以打下良好而坚实的汉语基础，积蓄充足的能量和后劲，实现在汉语的天空中自由飞翔的目标。

本教材共选取常用词语近 800 个，语言点 70 项，篇章的最后长度达到 600 字左右。全书共有 25 课，每 5 课为一个单元，每单元第 5 课为总结课，对前 4 课出现的语言点进行复习和总结，原则上不再出现新的语言点。

本教材的教学重点有两大部分：一是帮助学生进行语言结构与词汇的积累，二是训练学生进行有意义的成段表达。因此，我们建议教师在教学中多花些时间进行生词和语言点的讲练，同时，要给学生提供自由表达的练习活动，让学生能用学过的词汇和语法完成一定的交际任务。一般来说，我们建议用 5~6 个学时学完一课。为帮助使用本教材的教师更好地了解本书的编写原则及各课的教学目标，本教材还配备了《教师手册》。每一课的教学重点及教学活动，教师可以参看《教师手册》。

本书第一版的编写是由两位老师合作完成的：前 13 课由任雪梅执笔，后 12 课由徐晶凝执笔，徐晶凝负责统稿。此次修订再版，则由徐晶凝负责。主要在以下几个方面进行了修订：

（1）生词的选取和解释：补充或删除了一些词语，并对英文翻译进行了校改。

（2）某些语言点的修改：力求语言点的注释更为清楚，更有条理。

（3）课文内容的调整：对个别课文中不太规范的语句做了改动。

（4）练习题的改动：改进某些题目，或增补一些练习。

此次修订，我们单设了一本学生用《练习册》，所以，练习分为两种：一是课堂用练习，安排在本书中；一是课后练习，安排在《练习册》中。

本教材自 2005 年出版以来，一晃已经 8 年过去了。在此期间，我们不断得到使用这套教材的教师、留学生的反馈意见，也看到了对这套教材进行研究的论文中所谈到的意见和建议。我们早就有修订再版的想法，此次终于在北大出版社王飙老师的推动下付诸实施，特在此表示感谢！也特别对所有使用和关心《博雅汉语·初级起步篇》并提出意见和建议的朋友表示衷心的感谢！恕我不能在此将他们的名字一一列出。

在本书的编写过程中，我们得到了各方面的大力支持和帮助，主编李晓琪教授多次就教材的编写原则及许多细节问题和编者进行充分的沟通和讨论。责编吕幼筠、周鹂老师也提出了非常专业的意见，她们尽职尽责的工作态度令我感动，在此一并表示诚挚的谢意！

此次再版，我们请美国斯坦福大学语言中心的 Michelle Leigh DiBello（狄萍）对本书的英文翻译进行了全面的修订，为此，狄萍老师 2012 年的春假过得比学期还忙。在这里，对她的辛勤付出表示最诚恳的感谢！

我们仍然希望使用本书的老师和学生朋友能够喜欢她，并能通过本书享受学习汉语的过程。我们也期待着来自您的宝贵意见。

编者

2012 年 4 月

刘明：大卫和玛丽的汉语老师。

李军：中国人，北京大学学生。

张红：中国人，清华大学学生。

安娜：美国留学生，玛丽的朋友。

大卫：美国留学生。

中村：日本留学生，玛丽的同屋。

玛丽：加拿大留学生。

缩写 Abbreviations	英文名称 English Names	中文名称 Chinese Names	拼音 *Pinyin*
adj.	adjective	形容词	xíngróngcí
adv.	adverb	副词	fùcí
aux.	auxiliary	助动词	zhùdòngcí
conj.	conjunction	连词	liáncí
interj.	interjection	叹词	tàncí
mw.	measure word	量词	liàngcí
n.	noun	名词	míngcí
num.	numeral	数词	shùcí
ono.	onomatopoeia	拟声词	nǐshēngcí
part.	particle	助词	zhùcí
pn.	proper noun	专有名词	zhuānyǒu míngcí
pref.	prefix	词头	cítóu
prep.	preposition	介词	jiècí
pron.	pronoun	代词	dàicí
q.	quantifier	数量词	shùliàngcí
suff.	suffix	词尾	cíwěi
v.	verb	动词	dòngcí
S	Subject	主语	zhǔyǔ
P	Predicate	谓语	wèiyǔ
O	Object	宾语	bīnyǔ
Attr	Attribute	定语	dìngyǔ
A	Adverbial	状语	zhuàngyǔ
C	Complement	补语	bǔyǔ
NP	Noun Phrase	名词短语	míngcí duǎnyǔ
VP	Verbal Phrase	动词短语	dòngcí duǎnyǔ

目 录

	页码		课文	语言点
第1单元	1	*1*	飞机晚点了	1. 一……就…… 2. 都……了 3. 是……的
	8	*2*	我想搬到外面去	1. 离 2. "比"字句 3. 以前
	14	*3*	她穿着一件黄衬衫	1. 概数表达法 2. 着 3. 存在句（1）
	20	*4*	美国没有这么多自行车	1. A 和 B 一样…… 2. 有的……有的…… 3. A 没有 B（＋这么/那么）＋ adj. 4. 像……一样
	26	*5*	这家餐厅的菜不错	单元语言点小结
第2单元	32	*6*	广告栏上贴着一个通知	1. 简单趋向补语 2. 存在句（2） 3. 为了
	39	*7*	冰箱塞得满满的	1. 形容词重叠 2. 再说…… 3. V₁ 再 V₂ 4. 该……了
	45	*8*	比赛很精彩	1. 复合趋向补语 2. 一 V，…… 3. 好不容易/好容易才……
	52	*9*	我进不去了	1. 可能补语 2. 往＋方位词/地点＋V 3. V 来 V 去
	58	*10*	山上的风景美极了	单元语言点小结

	页码	课文	语言点
第3单元	64	*11* 西红柿炒鸡蛋	1. 就是 2. 又……又…… 3. "把"字句（1） 4. V 起来
	72	*12* 搬家	1. "把"字句（2） 2. 虽然……但是……
	78	*13* 一封信	1. 不但……而且…… 2. 越来越 + adj. / V 3. 小数、分数和百分数 4. V 过
	85	*14* 成功需要多长时间	1. 只要……就…… 2. V 去 3. 常用结果补语小结（2）
	93	*15* 请稍等	单元语言点小结
第4单元	99	*16* 从哪一头儿吃香蕉	1. 才（2） 2. V 下去 3. 百以上的称数法（千、万）
	104	*17* 李军的日记	1. 除了……（以外） 2. 一边……一边…… 3. 真是 + 一 + mw. + n. 4. 感叹表达小结
	110	*18* 我看过京剧	1. 强调否定 2. 难道
	116	*19* 如果有一天……	1. 不再 2. V_1 着 V_1 着 V_2 3. V 不了 / V 得了 4. 祈使表达小结 5. 时态小结（"了、着、过、呢、正、在"）
	124	*20* 好咖啡总是放在热杯子里的	单元语言点小结

	页码	课文	语言点
第5单元	129	*21* 黄金周：痛痛快快玩儿一周	1. 只有……才…… 2. 一方面……，另一方面…… 3. 数量词重叠
	135	*22* 一个电话	1. 一天比一天/一年比一年 2. 越……越…… 3. 连……也/都…… 4. V上
	142	*23* 笑话	1. 既……也…… 2. 不管……都…… 3. adj. 得很 4. 再V的话，…… 5. 非……不可 6. 再也不/没＋V
	150	*24* 人生	1. V出来 2. "被"字句 3. 临
	156	*25* 点心小姐	1. 是 2. 单元语言点小结
162		词语索引	
174		语言点索引	

飞机晚点了

玛　丽：李军，李军！

李　军：玛丽，是你呀！

玛　丽：你一进门，我就看见你了。来接人？

李　军：对，来接我姐姐。她坐下午的飞机回北京。你呢？

玛　丽：我刚送我父母回国。

李　军：你父母来北京了？

玛　丽：对，他们在北京玩儿了三天，今天回国了。你姐姐的航班几点到？

李　军：应该是两点半。奇怪，都两点五十了，怎么飞机还没到？我去问问。（问机场工作人员）请问，从泰国来的飞机到了吗？

工作人员：我查一下儿，还没到。这次航班可能要晚点三十分钟。

Mǎlì:　　Lǐ Jūn, Lǐ Jūn!

Lǐ Jūn:　Mǎlì, shì nǐ ya!

Mǎlì:　　Nǐ yí jìnmén, wǒ jiù kànjian nǐ le. Lái jiē rén?

Lǐ Jūn:　Duì, lái jiē wǒ jiějie. Tā zuò xiàwǔ de fēijī huí Běijīng. Nǐ ne?

Mǎlì:　　Wǒ gāng sòng wǒ fùmǔ huí guó.

Lǐ Jūn:　Nǐ fùmǔ lái Běijīng le?

Mǎlì:　　Duì, tāmen zài Běijīng wánr le sān tiān, jīntiān huí guó le. Nǐ jiějie de hángbān jǐ diǎn dào?

Lǐ Jūn: Yīnggāi shì liǎng diǎn bàn. Qíguài, dōu liǎng diǎn wǔshí le, zěnme fēijī hái méi dào? Wǒ qù wènwen. (wèn jīchǎng gōngzuò rényuán) Qǐngwèn, cóng Tàiguó lái de fēijī dào le ma?

Gōngzuò rényuán: Wǒ chá yíxiàr, hái méi dào. Zhè cì hángbān kěnéng yào wǎndiǎn sānshí fēnzhōng.

玛丽的日记

8月30日	星期一　　晴转阴

　　我父亲和母亲上星期来北京了，他们在北京玩儿了三天，他们很喜欢北京，打算以后有机会再来。今天下午他们回国，我去机场送他们。我父母的飞机是下午两点十分的，飞机正点起飞。在机场，我遇到了李军，他是来接姐姐的，可是，他姐姐的航班晚点了，李军等了差不多半个小时。

Mǎlì de Rìjì

bāyuè sānshí rì　　xīngqīyī　　qíng zhuǎn yīn

Wǒ fùqin hé mǔqin shàng xīngqī lái Běijīng le, tāmen zài Běijīng wánr le sān tiān, tāmen hěn xǐhuan Běijīng, dǎsuàn yǐhòu yǒu jīhuì zài lái. Jīntiān xiàwǔ tāmen huí guó, wǒ qù jīchǎng sòng tāmen. Wǒ fùmǔ de fēijī shì xiàwǔ liǎng diǎn shí fēn de, fēijī zhèngdiǎn qǐfēi. Zài jīchǎng, wǒ yùdào le Lǐ Jūn, tā shì lái jiē jiějie de, kěshì, tā jiějie de hángbān wǎndiǎn le, Lǐ Jūn děng le chàbuduō bàn ge xiǎoshí.

词语表　New Words and Expressions

1 进门	jìn mén		to enter, to come in
进	jìn	v.	to enter
2 看见	kànjian		to see, to catch sight of
3 接	jiē	v.	to meet, to welcome

4	飞机	fēijī	n.	airplane, plane
5	送	sòng	v.	to see sb. off or out
6	父母	fùmǔ	n.	parents
7	航班	hángbān	n.	scheduled flight
8	奇怪	qíguài	adj.	strange, odd
9	都	dōu	adv.	already
10	查	chá	v.	to check, to look up
11	次	cì	mw.	*measure word (for train or airplane)*
12	晚点	wǎn diǎn		to be late, to be behind schedule
13	日记	rìjì	n.	diary
14	晴	qíng	adj.	sunny, fine
15	转	zhuǎn	v.	to change, to turn
16	阴	yīn	adj.	overcast
17	父亲	fùqin	n.	father
18	母亲	mǔqin	n.	mother
19	机会	jīhui	n.	opportunity, chance
20	机场	jīchǎng	n.	airport
21	正点	zhèngdiǎn	v.	to be on time, to be on schedule
22	起飞	qǐfēi	v.	to take off
23	遇到	yùdào		to come across, to run into

◉ 专有名词　**Proper Nouns**

| 泰国 | Tàiguó | Thailand |

 **Language Points**

1 一……就……　As soon as...then...

● 你一进门，我就看见你了。

▲ "一VP₁，就VP₂"表示两个动作相隔的时间很短。

This pattern is used to mean that the second action takes place immediately after the first one.

（1）S 一 VP₁，就 VP₂

▲ VP₁ 和 VP₂ 可以是同一个主语。例如：

The subjects of the two verbs can be the same. For example，

① 我一出门就看见了小王。

② 我们一买到票就出发。

③ 那条小狗太可爱了，弟弟一看就喜欢。

（2）S₁ 一 VP₁，S₂ 就 VP₂

▲ VP₁ 和 VP₂ 也可以是不同的主语。例如：

The subjects of the two verbs can be different. For example，

④ 他一出车站，我就看见他了。

⑤（我打电话叫了一辆出租车。）我一出门，车就来了。

⑥ 这个问题很简单，老师一讲，学生就懂了。

2 都……了 Already

● 都两点五十了，怎么飞机还没到？

▲ 表强调，"都"有"已经"的意思。例如：

It is used to emphasize. 都 here means already. For example，

① 都十二点了，这么晚了，她怎么还没回来？

② 孩子都三岁了，还不会说话，妈妈想带他去看看医生。

③ 都学了两年了，汉语还是说得不太好，我真着急啊！

④ 你都喝了三瓶啤酒了，不要再喝了。

3 是……的 It is… that…

● 我父母的飞机是下午两点十分的。

▲ "是……的"用来强调动作的时间、处所、方式、目的等。强调的部分放在"是"的后面，一般是已经发生的事情。

This pattern is used to emphasize the time, place, method, or purpose of one certain action. Usually the action took place in the past.

（1）S ＋ 是 ＋ 时间 ＋ V ＋ O ＋ 的

① 他是去年从北京大学毕业的，不是今年。

② 这个航班是下午四点到北京的。

（2）S + 是 + 地方 + V + O + 的

　　　③ 我是在图书馆看见刘老师的，不是在商店。

　　　④ 这本词典，我是在学校的书店买的。

（3）S + 是 + 方式 + V + O + 的

　　　⑤ 我是坐飞机来中国的，不是坐船。

　　　⑥ 他们是骑自行车来学校的。

（4）是 + S + V + O + 的

　　　⑦ 是他去年从北京大学毕业的，不是我。

　　　⑧ 是我告诉他的，怎么了？

（5）S + 是 + 来 / 去 + V + O + 的

　　　⑨ 我是来中国学习汉语的，不是来玩儿的。

　　　⑩ 我不是来看你的，是来看李军的。

　　　⑪ 他是去工作的，不是去玩儿的。

 **Exercises in Class**

一 语言点练习　Grammatical exercises

1. 用 "一……就……" 造句　Make sentences with 一……就……

　（1）to finish class / to go for a lunch

　（2）to take exams / to be nervous

　（3）to catch a cold / to go to see a doctor

　（4）weekends / to go to cinema

　（5）to review lessons / to be sleepy

　（6）to drink white spirit / to have a headache

　（7）(he) get off the train / (I) see him

　（8）(we) phone him / (he) come

　（9）Saturday / (library) close

2. 用 "了" 或者 "是……的" 完成对话　Complete the dialogues with 了 or 是……的

　（1）A：大卫 _____(to go to Shanghai)，你知道吗？

B：是吗？ _____ ？ (when)

A：_____ 。 (last month)

B：_____ ？

A：他不是坐火车去的， _____ 。 (by plane)

B：他妈妈 _____ ？

A：他妈妈没去。

（2）A：您的孩子今年几岁了？

　　B：_____ 。 (5 years old)

　　A：他 _____ 吧？ (born in 2007)

　　B：不，他 _____ （2007 年），他是 2008 年生的。

　　A：_____ ？ (where was he born)

　　B：_____ 。 (Beijing Hospital)

（3）A：你是什么时候到北京的？怎么不先给我打个电话？

　　B：我打了，你不在。我 _____ 。 (arrived here 3 days ago)

　　A：_____ ？ (how / came)

　　B：_____ 。 (by train)

　　A：_____ ？ (for a trip)

　　B：不是，_____ 。 (for work)

二 任务型练习　Task-based exercises

1. 两人活动：学生两人一组，谈谈第一次坐飞机的经历。

   Pair work：Two students in a group talk about your first experience of taking airplane.

   要求：尽量使用本课所学生词，并使用语言点"一……就……""是……的"。

   You're required to use the language points 一……就……，是……的, and the new words in this lesson.

2. 两人活动：学生两人一组，一人扮演记者，一人扮演某个名人，记者采访名人。

   Pair work：Two students are in a group. One student is a reporter. The other one is a famous person. They are doing the interview.

   要求：尽量使用本课所学生词，并使用语言点"一……就……""是……的""都……了"。

You're required to use the new words in this lesson and the language points 一……就……，是……的 and 都……了．

例如：你是什么时候来中国的？

　　　早上你是在哪儿吃早饭的？

三 扩展阅读　Extensive reading

　　一年前，我来中国留学。这是我第一次出国，也是我第一次坐飞机，心情很紧张。但是我想，别人都可以坐飞机，我也一定没问题。出发那天，我早早来到了机场。机场真大啊！我先办好登机手续，然后在机场里随便走了走。我去餐厅吃了饭，还在商店买了东西，然后就在 12 号登机口等飞机。可是等了半个多小时，也不见飞机来。奇怪！我问工作人员，她告诉我航班是正点起飞。我再一看机票，才发现登机口是"21"，而不是"12"，我记错了！我急忙赶到 21 号登机口，发现全飞机的人都在等我，真不好意思。就这样，我们的飞机因为我晚点了。

心情　xīnqíng　n.　state of mind, mood

登机　dēng jī　to check in
手续　shǒuxù　n.　procedure

登机口　dēngjīkǒu　n.　gate（of air port）

赶　gǎn　v.　to hurry, to catch

1. 判断正误　True or false

（1）两年前，"我"第一次坐飞机出国留学。　▨

（2）"我"觉得坐飞机很简单，应该没问题。　▨

（3）"我"很早就到了机场，一直在登机口等飞机。　▨

（4）机场里有餐厅，但是没有商店。　▨

（5）"我"应该在 12 号登机口上飞机，但我记错了。　▨

2. 回答问题　Answer the questions

（1）"我"到机场以后都做了什么？

（2）"我"的飞机是正点起飞还是晚点了？

（3）"我"的航班的登机口是 12 还是 21？

（4）"我"为什么觉得不好意思？

最近忙什么呢?

李　军：大卫，好久不见，最近忙什么呢?

大　卫：找房子呢，我想搬到外面去。

李　军：住在学校里不好吗? 你看，学校里有商店、食堂，还有邮局和银行，多方便啊。离教室也很近，每天你可以多睡会儿懒觉，而且房租也比外面的便宜。

大　卫：可是，学校的宿舍没有厨房，房间里也没有卫生间，生活有些不方便。最主要的是，周围都是留学生，对练习汉语没好处。

李　军：你说的也是。

大　卫：你帮我注意一下儿有没有合适的房子，好不好?

李　军：没问题，我有一个朋友就在中介公司工作。

Lǐ Jūn: Dàwèi, hǎojiǔ bú jiàn, zuìjìn máng shénme ne?

Dàwèi: Zhǎo fángzi ne, wǒ xiǎng bāndào wàimian qù.

Lǐ Jūn: Zhù zài xuéxiào li bù hǎo ma? Nǐ kàn, xuéxiào li yǒu shāngdiàn、shítáng、hái yǒu yóujú hé yínháng, duō fāngbiàn a. Lí jiàoshì yě hěn jìn, měi tiān nǐ kěyǐ duō shuì huìr lǎn jiào, érqiě fángzū yě bǐ wàimian de piányi.

Dàwèi: Kěshì, xuéxiào de sùshè méiyǒu chúfáng, fángjiān li yě méiyǒu wèishēngjiān, shēnghuó yǒuxiē bù fāngbiàn. Zuì zhǔyào de shì, zhōuwéi dōu shì liúxuéshēng, duì liànxí Hànyǔ méi hǎochu.

Lǐ Jūn: Nǐ shuō de yě shì.

Dàwèi: Nǐ bāng wǒ zhùyì yíxiàr yǒu méiyǒu héshì de fángzi, hǎo bu hǎo?

Lǐ Jūn: Méi wèntí, wǒ yǒu yí ge péngyou jiù zài zhōngjiè gōngsī gōngzuò.

昨天我的一个朋友来了，我发现他的汉语进步很快。以前我和他的水平差不多，现在他比我高多了，说得也比我流利。原来他现在住在中国人的家里。我也想搬到外面去了。我想找一套公寓，离学校不要太远，最好有厨房和卫生间。真希望早点儿搬家。

Zuótiān wǒ de yí ge péngyou lái le, wǒ fāxiàn tā de Hànyǔ jìnbù hěn kuài. Yǐqián wǒ hé tā de shuǐpíng chàbuduō, xiànzài tā bǐ wǒ gāoduō le, shuō de yě bǐ wǒ liúlì. Yuánlái tā xiànzài zhù zài Zhōngguórén de jiāli. Wǒ yě xiǎng bāndào wàimian qù le. Wǒ xiǎng zhǎo yí tào gōngyù, lí xuéxiào bú yào tài yuǎn, zuìhǎo yǒu chúfáng hé wèishēngjiān. Zhēn xīwàng zǎo diǎnr bānjiā.

词语表 New Words and Expressions

1	房子	fángzi	n.	house
2	搬	bān	v.	to move
3	外面	wàimian	n.	outside
4	方便	fāngbiàn	adj.	convenient
5	离	lí	v.	to be away from
6	近	jìn	adj.	close, near
7	房租	fángzū	n.	rent
8	比	bǐ	prep.	compare, than
9	厨房	chúfáng	n.	kitchen
10	主要	zhǔyào	adj.	main, major
11	周围	zhōuwéi	n.	surrounding
12	对	duì	prep.	towards, for
13	练习	liànxí	v.	to practise
14	好处	hǎochu	n.	good, benefit

15	注意	zhùyì	v.	to keep an eye on
16	合适	héshì	adj.	suitable
17	中介	zhōngjiè	n.	agent
18	公司	gōngsī	n.	company
19	发现	fāxiàn	v.	to find out, to discover
20	进步	jìnbù	v.	to progress
21	以前	yǐqián	n.	before
22	水平	shuǐpíng	n.	level
23	高	gāo	adj.	tall, high
24	流利	liúlì	adj.	fluent
25	原来	yuánlái	adv.	so, it turns out to be
26	套	tào	mw.	*measure word*（*for series or sets of things*）
27	公寓	gōngyù	n.	apartment house
28	远	yuǎn	adj.	far
29	搬家	bān jiā		to move house

 Language Points

1 离　To be away from

● 离教室也很近。

　　A 离 B + 远 / 近

　　① 美国离中国比较远。
　　② 留学生宿舍离湖边很近。
　　③ 我的公寓离学校不远，骑车只要十分钟。

2 "比"字句　Sentences with 比

● ……而且房租也比外面的便宜。

（1）A 比 B + adj.（A is more adj. than B）

　　① 他比我高。
　　② 这个房间比那个（房间）大。

③ 这家商店的东西比那家的（东西）便宜。

（2）A 比 B + adj. + 多了（A is much more adj. than B）

④ 他比我高多了。

⑤ 今天比昨天热多了。

⑥ 这次考试比上次容易多了。

（3）A + VO + V 得 + 比 B + adj.（+多了）

⑦ 他说汉语说得比我好（多了）。

⑧ 妹妹唱歌唱得比姐姐好，可是，姐姐跳舞跳得比妹妹好。

⑨ 老师写汉字写得比学生快多了。

3 以前　Before，ago

● 以前我和他的水平差不多。

（1）Time word + 以前

① 八点以前我们一定要到学校。

② 星期六是他的生日。星期五以前，我们要准备好礼物。

（2）Time-period word + 以前

③ 两个小时以前，他就已经知道了。

④ 半年以前，我还不会说汉语。

（3）VP + 以前

⑤ 睡觉以前，别忘了吃药。

⑥ 来中国以前，我会说一点儿汉语。

（4）以前……，现在……

⑦ 以前我住在上海，现在搬到了北京。

⑧ 以前我的专业是中国文学，现在我学习中国历史。

课堂练习　Exercises in Class

一 语言点练习　Grammatical exercises

用"A比B + adj.（+多了）"造句　Make sentences with "A比B + adj.（+多了）"

（1）饺子 / 面条 / 好吃

（2）承德（Chéngdé）/ 天津（Tiānjīn）/ 有意思

（3）卧铺 / 硬座 / 舒服

（4）购物中心 / 美术馆 / 热闹

（5）这个商店 / 那个商店 / 衣服 / 便宜

（6）北京 / 上海 / 冬天 / 冷

（7）这儿 / 那儿 / 风景 / 美

（8）这次 / 上次 / 考试 / 难

（9）他 / 我 / 开车 / 快

（10）张红 / 我 / 学汉语 / 努力

任务型练习　Task-based exercises

1. 两人活动：学生两人一组，一人扮演大卫，一人扮演大卫的朋友。聊聊为什么朋友的汉语水平进步这么快，以及为什么搬家。

Pair work：Two students are in a group. One student plays the role of David and the other one plays the role of his friend. They are talking about why David improved his Chinese so fast and why he moved his house.

2. 小组活动：学生三人一组，一人扮演留学生，觉得孤单，想买一个宠物。另两人扮演小贩：一个卖猫，一个卖狗。两个小贩极力介绍自己的宠物。最后，留学生决定买狗还是买猫。

Group Work：Three students are in a group. One student plays the role of a foreign student. He/she feels alone, so he/she plans to buy a pet. The other two play the roles of vendors of a cat and a dog. They are trying to describe his/her animal, and to persuade the foreign student to buy his/hers. The foreign student decides to buy one at last.

要求：尽量使用"比"字句和以下句式：

You're required to use the sentences with 比 and the following patterns:

A 比 B + adj.　　A 比 B + adj. + 多了　　A 比 B + adj. + 一点儿

A + VO + V 得 + 比 B + adj.　多 + V　最主要的是　你说的也是

3. 小组活动：学生三人一组，一人扮演房屋中介公司的工作人员，另外两人扮演租房子的人。两人同时来中介公司找房子。最后，两人决定合租一间。

Group Work：Three students are in a group. One student is a staff of certain agency. The other two students are people who are looking for house. The two students come to the agency at the same time and they are talking with the staff. In the end，they decide to corent an apartment.

要求：尽量使用以下词语：

You're required to use the following words:

宿舍　房子　公寓　套　厨房　卫生间　房租　周围　外面　近/远　好处
中介公司　搬

三 扩展阅读　Extensive reading

小时候，我们全家六口人住在两间平房里，没有暖气，也没有厨房和卫生间，上厕所要到街上的公共厕所。夏天还好一点儿，冬天就难过了，非常冷。所以，我从小就想搬到楼房住。大学毕业后，我留在北京工作，可是我工作的公司没有宿舍，我只好到外面租房。我先在公司附近找了一套公寓，房子不大，但是房租很高，而且和别人一起住，不太方便。两年后，我终于贷款买了一套小公寓，虽然房子不太大，但是有厨房和卫生间，我非常满意。

平房	píngfáng	n.	one storey house
暖气	nuǎnqì	n.	central heating
难过	nánguò	adj.	having a hard time
贷款	dài kuǎn		to provide a loan, to loan

1. 判断正误　True or false
　（1）"我"小时候特别想住在平房里。　▢
　（2）那时平房冬天有暖气，很舒服。　▢
　（3）"我"大学毕业以后在一家公司工作。　▢
　（4）"我"最早租的房子离公司不远。　▢
　（5）工作两年后，父母帮助"我"买了房子。　▢

2. 回答问题　Answer the questions
　（1）"我"为什么不喜欢平房？
　（2）"我"为什么对以前租的公寓不满意？
　（3）"我"现在的房子大不大？"我"为什么觉得很满意？

玛　丽：警察先生，我和我的朋友走散了，麻烦你们找一下儿。

警　察：别着急，你坐着说吧。她叫什么名字？是哪国人？

玛　丽：她叫安娜，是德国人。她刚来中国不久，汉语说得还不太好。

警　察：她多大年纪？长什么样子？

玛　丽：大概二十三四岁，黄头发，蓝眼睛，个子不太高，一米六多吧。

警　察：穿什么衣服？

玛　丽：她穿着一件黄衬衫，一条蓝牛仔裤，背着一个大旅行包。

警　察：你们是什么时候走散的？

玛　丽：下午两点半左右。

警　察：别着急，我们一定帮你找到她。

Mǎlì: Jǐngchá xiānsheng, wǒ hé wǒ de péngyou zǒusàn le, máfan nǐmen zhǎo yíxiàr.

Jǐngchá: Bié zháojí, nǐ zuò zhe shuō ba. Tā jiào shénme míngzi? Shì nǎ guó rén?

Mǎlì: Tā jiào Ānnà, shì Déguórén. Tā gāng lái Zhōngguó bùjiǔ, Hànyǔ shuō de hái bú tài hǎo.

Jǐngchá: Tā duō dà niánjì? Zhǎng shénme yàngzi?

Mǎlì: Dàgài èrshísān-sì suì, huáng tóufa, lán yǎnjing, gèzi bú tài gāo, yì mǐ liù duō ba.

Jǐngchá: Chuān shénme yīfu?

Mǎlì: Tā chuān zhe yí jiàn huáng chènshān, yì tiáo lán niúzǎikù, bēi zhe yí ge dà lǚxíngbāo.

Jǐngchá: Nǐmen shì shénme shíhou zǒusàn de?

Mǎlì: Xiàwǔ liǎng diǎn bàn zuǒyòu.

Jǐngchá: Bié zháojí, wǒmen yídìng bāng nǐ zhǎodào tā.

寻物启事

昨天（9月5日）下午5点钟左右，我在南操场丢了一个红色旅行包，里面有几支笔，还有几个本子。请拾到者送到留学生5号楼302室，或者打电话52768436和大卫联系。非常感谢！

大　卫

2012 年 9 月 6 日

Xún Wù Qǐshì

Zuótiān (jiǔyuè wǔ rì) xiàwǔ wǔ diǎnzhōng zuǒyòu, wǒ zài nán cāochǎng diū le yí ge hóngsè lǚxíngbāo, lǐmian yǒu jǐ zhī bǐ, hái yǒu jǐ ge běnzi. Qǐng shídàozhě sòngdào liúxuéshēng wǔ hào lóu sān líng èr shì, huòzhě dǎ diànhuà wǔ èr qī liù bā sì sān liù hé Dàwèi liánxì. Fēicháng gǎnxiè!

Dàwèi

èr líng yī èr nián jiǔyuè liù rì

词语表　New Words and Expressions

1	先生	xiānsheng	n.	mister, sir
2	走散	zǒusàn		to get lost, to stray
3	不久	bùjiǔ	adj.	soon, before long
4	长	zhǎng	v.	to grow
5	样子	yàngzi	n.	appearanc

6 头发	tóufa	n.	hair
7 眼睛	yǎnjing	n.	eye
8 个子	gèzi	n.	height
9 米	mǐ	mw.	metre
10 穿	chuān	v.	to wear, to be dressed in
11 着	zhe	part.	*indicating the continuation of a state*
12 衬衫	chènshān	n.	shirt
13 牛仔裤	niúzǎikù	n.	jeans
14 背	bēi	v.	to carry on the back
15 包	bāo	n.	bag
16 左右	zuǒyòu	n.	or so, approximate
17 寻	xún	v.	to look for
18 物	wù	n.	thing
19 启事	qǐshì	n.	notice
20 南	nán	n.	south
21 操场	cāochǎng	n.	playground
22 红色	hóngsè	n.	red
23 里面	lǐmian	n.	inside
24 支	zhī	mw.	*mesure word (for long, thin and inflexible objects)*
25 笔	bǐ	n.	writing utensils
26 本子	běnzi	n.	exercise book
27 拾	shí	v.	to pick up
28 者	zhě	part.	-er, -or
29 或者	huòzhě	conj.	or
30 联系	liánxì	v.	to contact
31 感谢	gǎnxiè	v.	to thank, to appreciate

◉ 专有名词 **Proper Nouns**

| 1 安娜 | Ānnà | | Anna |
| 2 德国人 | Déguórén | | German |

Language Points

1 概数表达法　Approximate number

● 大概二十三四岁。

（1）相邻的两个数词连用。Two adjacent numerals are used together.

　①我来北京已经两三个月了。

　②他二十四五岁的样子，个子不太高。

　③我家离学校很远，坐公共汽车要四五十分钟。

（2）num. + 多 / 几 + mw.

　④那座楼很高，大概有三十多层。

　⑤她很年轻，二十几岁，很漂亮。

（3）num. + mw. + 左右

　⑥这儿的房租不太贵，一个月八百块左右。

　⑦他是十一点左右来的。

2 着　The particle 着

● 她穿着一件黄衬衫。

（1）Sb. + V + 着 + q. + O

▲ 这个句式可以用来描写一个人的穿着打扮或正在持续的状态。例如：
This expression is usually used to describe people's dressing or a state of their continuous actions.
For example，

　①他拿着一束花。

　②她穿着一双黑色的鞋。

　③她长着一头漂亮的头发。

　④玛丽骑着一辆自行车。

● 你坐着说吧。

（2）Sb. + V_1 + 着 + V_2

▲ 这个句式表示 V_1 的动作行为伴随 V_2 发生。例如：
The two actions occur simultaneously, and the second one is the main action. For example，

　⑤他听着音乐做作业。

　⑥孩子哭着找妈妈。

　⑦他常常唱着歌洗澡。

③ 存在句（1）　Existential sentences（1）

● 里面有几支笔，还有几个本子。

处所词 + 有 + O

▲ 表示某处存在某人或某物。例如：

This expression is used to indicate there is something or somebody in some place. For example,

① 教室里有几个学生。

② 书包里有几本书和几个本子。

③ 公寓前有一个车棚，可以放你的自行车。

课堂练习　Exercises in Class

一 语言点练习　Grammatical exercises

看图，用所给词语和句式描述他们的样子　Describe the persons in the following pictures

个子、头发、眼睛、鼻子

衬衫、牛仔裤、裙子、眼镜、旅行包

二十一二岁、左右、多

V + 着 + O

二 任务型练习　Task-based exercises

1. 两人活动：学生两人一组，谈谈第一次和网友或朋友约会时，对方长什么样。

Pair work：Two students in a group talk about their first date with their internet-friend, especially their appearances.

要求：尽量使用下列词语：

You're required to use the following words:

衬衫　牛仔裤　背包　眼睛　个子　头发　长　年纪

2. 两人活动：学生两人一组，一人扮演警察，一人扮演留学生。留学生在外旅行，旅行包丢了，里面有护照、钱包等。他跟警察说明情况，请求帮助。

Pair work：Two students are in a group. One student is a police. The other one is a foreign student. The student lost his/her travelling bag which contains his/her passport, wallet and so on. So he/she comes to the policestation to ask for help.

三 扩展阅读 Extensive reading

（一）寻人启事

李小明，男，五岁半，短头发，黑眼睛，身穿黄色 T 恤和牛仔短裤，昨日在家门前走失。有见到者请打电话 96875432 或手机 13407891234 和李伟联系，非常感谢！

| T 恤 | T xù | T-shirt |

回答问题　Answer the questions

（1）这个"寻人启事"找谁？

（2）李小明长什么样子？

（3）他是在哪儿走丢的？

（4）如果见到李小明，和谁联系？怎么联系？

（二）

真倒霉！昨天我在宿舍楼的卫生间洗澡的时候，忘了拿我的手表。那块手表上面有 Kitty 猫，是我上大学时爸爸妈妈送给我的礼物，是我最心爱的东西。丢了手表我很难过，不想吃饭，不想睡觉，真希望快点儿找到我的表。请你们帮帮我。我住在留学生宿舍 2 号楼 415 房间，我叫中村。

| 洗澡 | xǐ zǎo | to take a bath |
| 手表 | shǒubiǎo | n. watch |

1. 回答问题　Answer the questions

（1）"我"丢了什么东西？

（2）东西是什么时候、在哪儿丢的？

（3）那块表是什么样子？

（4）如果有人找到了手表，他应该和谁联系？

2. 根据上文，写一则《寻物启事》 Write a lost-and-found notice

李 军：大卫，你来中国的时间
　　　不短了，你觉得中国和
　　　美国一样吗？

大 卫：有的地方一样，有的地
　　　方不一样。

李 军：比如说——

大 卫：美国和中国一样，都是
　　　大国，面积都不小，但是美国人口没有中国那么多，历史也没
　　　有中国那么长。另外，美国是发达国家，中国是发展中国家，
　　　生活水平有点儿不一样。

李 军：说得不错。还有吗？

大 卫：还有，美国没有这么多自行车。

李 军：那人们上班、上学都开车吗？

大 卫：不一定，有的坐公共汽车，有的坐地铁，还有的开车。

Lǐ Jūn: Dàwèi, nǐ lái Zhōngguó de shíjiān bù duǎn le, nǐ juéde Zhōngguó hé Měiguó yíyàng ma?
Dàwèi: Yǒude dìfang yíyàng, yǒude dìfang bù yíyàng.
Lǐ Jūn: Bǐrú shuō——
Dàwèi: Měiguó hé Zhōngguó yíyàng, dōu shì dà guó, miànjī dōu bù xiǎo, dànshì Měiguó rénkǒu
　　　méiyǒu Zhōngguó nàme duō, lìshǐ yě méiyǒu Zhōngguó nàme cháng. Lìngwài, Měiguó shì fādá
　　　guójiā, Zhōngguó shì fāzhǎn zhōng guójiā, shēnghuó shuǐpíng yǒudiǎnr bù yíyàng.

Lǐ Jūn: Shuō de búcuò. Hái yǒu ma?

Dàwèi: Hái yǒu, Měiguó méiyǒu zhème duō zìxíngchē.

Lǐ Jūn: Nà rénmen shàng bān、shàng xué dōu kāi chē ma?

Dàwèi: Bù yídìng, yǒude zuò gōnggòng qìchē, yǒude zuò dìtiě, hái yǒude kāi chē.

来中国以后，我发现中国有几"多"：一是人多，有十三亿人口，公共汽车上、商店里、路上，到处都是人；二是车多，上班、下班的时候，马路上的汽车、自行车像河流一样，很壮观；三是中国菜的种类多，听说有名的菜就有八大菜系；四是名胜古迹多，中国有几千年的历史，名胜古迹当然很多；五是民族多，有55个少数民族；还有……我在慢慢发现呢。

Lái Zhōngguó yǐhòu, wǒ fāxiàn Zhōngguó yǒu jǐ "duō": yī shì rén duō, yǒu shísān yì rénkǒu, gōnggòng qìchē shang、shāngdiàn li、lùshang, dàochù dōu shì rén; èr shì chē duō, shàngbān、xiàbān de shíhou, mǎlù shang de qìchē、zìxíngchē xiàng héliú yíyàng, hěn zhuàngguān; sān shì Zhōngguó cài de zhǒnglèi duō, tīngshuō yǒumíng de cài jiù yǒu bā dà càixì; sì shì míngshèng gǔjì duō, Zhōngguó yǒu jǐqiān nián de lìshǐ, míngshèng gǔjì dāngrán hěn duō; wǔ shì mínzú duō, yǒu wǔshíwǔ ge shǎoshù mínzú; hái yǒu…… Wǒ zài mànmàn fāxiàn ne.

词语表　New Words and Expressions

1 短	duǎn	adj.	short
2 一样	yíyàng	adj.	same, as ... as
3 地方	dìfang	n.	part
4 比如说	bǐrú shuō		for example
5 面积	miànjī	n.	area
6 人口	rénkǒu	n.	population
7 发达国家	fādá guójiā		developed country
发达	fādá	adj.	developed
国家	guójiā	n.	country
8 发展中国家	fāzhǎn zhōng guójiā		developing country

	发展	fāzhǎn	v.	to develop
9	人们	rénmen	n.	people
10	上班	shàng bān		to go to work
11	上学	shàng xué		to go to school
12	开	kāi	v.	to drive
13	亿	yì	num.	hundred million
14	到处	dàochù	adv.	everywhere
15	下班	xià bān		to get off work
16	汽车	qìchē	n.	bus, car
17	像	xiàng	v.	to resemble, to be like
18	河流	héliú	n.	river
19	壮观	zhuàngguān	adj.	magnificent sight
20	种类	zhǒnglèi	n.	kind
21	菜系	càixì	n.	cuisine
22	名胜古迹	míngshèng gǔjì		scenic spot and historical place
23	千	qiān	num.	thousand
24	民族	mínzú	n.	nation, ethnic group
25	少数民族	shǎoshù mínzú		ethnic minority
	少数	shǎoshù	n.	minority

 **Language Points**

1 A 和 B 一样…… A is as...as B

● 你觉得中国和美国一样吗?

① 我和他一样，都是大学生。

② 这家商店和那家商店一样，都卖书和杂志。

③ 他的汉语水平和我的（汉语水平）一样高。

④ 我的房子和他的（房子）一样漂亮。

2 有的……有的…… Some..., some...

● 有的地方一样，有的地方不一样。

①学校放假以后，有的同学想回家，有的同学想去旅行。

②酒吧里，有的人在聊天儿，有的人在喝酒，还有的人在唱卡拉OK。

③周末，我有（的）时候去逛商店，有（的）时候去看电影。

④这个城市有的地方很漂亮，有的地方不太漂亮。

3 A没有B（+这么/那么）+ adj. A is not quite as... as B.

● 美国人口没有中国那么多，历史也没有中国那么长。

▲ 这是"比"字句"A比B + adj."的否定式。例如：

The is the negative form for "A 比 B + adj.". For example,

① 他比我高。	他没有我高。	他没有我这么高。
② 这个房间比那个（房间）大。	这个房间没有那个（房间）大。	这个房间没有那个（房间）那么大。
③ 这家商店的东西比那家的（东西）便宜。	这家商店的东西没有那家的（东西）便宜。	这家商店的东西没有那家的（东西）那么便宜。

4 像……一样 A is like B.

● 马路上的汽车、自行车像河流一样。

①她长得很漂亮，像电影明星一样。→ 她长得像电影明星一样漂亮。

②大卫说汉语说得非常流利，像中国人一样。→ 大卫说汉语说得像中国人一样流利。

③他跑得很快，像兔子一样。→ 他跑得像兔子一样快。

Exercises in Class

— 语言点练习 Grammatical exercises

1. 用"A和B一样 + adj."造句 Make sentences with "A和B一样 + adj."

（1）这个饭馆 / 那个饭馆 / 远

（2）这个电影 / 那个电影 / 有名

（3）这次考试 / 上次考试 / 容易

（4）我 / 弟弟 / 高

（5）他 / 女朋友 / 大

（6）北京大学 / 清华大学 / 有名

2. 用"A和B一样……"完成句子　Complete the sentences with "A和B一样……"

（1）我和妈妈一样，_____。(both like to drink tea)

（2）中国和日本一样，_____。(both have four seasons)

（3）姐姐的衣服和妹妹的（衣服）一样，_____。(beautiful)

（4）爷爷和奶奶一样，_____。(don't want to go to see a movie)

（5）_____，汉语水平都很高。

（6）_____，都喜欢打篮球。

（7）_____，都是发展中国家。

（8）_____，历史都很长。

3. 用"A没有B (+这么/那么) +adj."造句

Make sentences with "A没有B (+这么/那么) + adj."

（1）今天 / 昨天 / 热

（2）我 / 我同屋 / 用功

（3）语法 / 汉字 / 难

（4）我的衣服 / 我妹妹的（衣服）/ 贵

（5）这个教室 / 那个（教室）/ 大

（6）我爸爸的车 / 我妈妈的（车）/ 新

（7）这儿的风景 / 那儿的（风景）/ 美

（8）面条 / 饺子 / 好吃

二　扩展阅读　Extensive reading

中国在亚洲，面积是九百六十万平方公里，只比俄罗斯、加拿大小，是世界第三大国。中国有十三亿人口，是世界上人口最多的国家，据说地球上每五个人中就有一个是中国人。中国面积大、人口多，历史也很长，已经有几千年了。因为中国的

亚洲	Yàzhōu	pn. Asia
平方公里	píngfāng gōnglǐ	
square kilometre (km^2)		
俄罗斯	Éluósī	pn. Russia
据说	jùshuō	v. it is said, they say

历史很长，所以名胜古迹也非常多，最有名的就是长城。有人说："不到长城非好汉，不吃烤鸭真遗憾。"意思就是说，来中国一定要去看看伟大的长城，一定要去吃北京烤鸭，当然更应该学好汉语，这对留学生来说才是最重要的。

遗憾　yíhàn　adj.　regretful, pityful

1. 回答问题　Answer the questions

（1）中国的面积是多少？人口呢？

（2）中国的历史有多少年？

（3）"不到长城非好汉，不吃烤鸭真遗憾"是什么意思？

（4）对留学生来说，最重要的是什么？

2. 模仿上文，介绍一下你们的国家　Introduce your own country

大　卫：两位女士吃饱了吗？要不
　　　　要再点一个菜？

玛　丽：够了，我已经吃好了。

安　娜：我也吃饱了。这家餐厅的菜
　　　　真不错。大卫，以前你经常
　　　　来这儿吗？

大　卫：不常来，一个星期两三次吧。

安　娜：你每天都在哪儿吃饭？

大　卫：有的时候在食堂，有的时候去饭馆，偶尔也自己做。

玛　丽：你会做饭？我还是第一次听说。

大　卫：很少做。自己做饭比在外面吃便宜，不过没有饭馆的菜那么
　　　　好吃。

安　娜：你会做什么饭？

大　卫：水平最高的当然是煮方便面。

玛　丽：那你和我一样啊！

Dàwèi: Liǎng wèi nǚshì chībǎo le ma? Yào bu yào zài diǎn yí ge cài?

Mǎlì: Gòu le, wǒ yǐjīng chīhǎo le.

Ānnà: Wǒ yě chībǎo le. Zhè jiā cāntīng de cài zhēn búcuò. Dàwèi, yǐqián nǐ jīngcháng lái zhèr ma?

Dàwèi: Bù cháng lái, yí ge xīngqī liǎng-sān cì ba.

Ānnà: Nǐ měi tiān dōu zài nǎr chī fàn?

Dàwèi: Yǒude shíhou zài shítáng, yǒude shíhou qù fànguǎn, ǒu'ěr yě zìjǐ zuò.

Mǎlì: Nǐ huì zuò fàn? Wǒ háishi dì yī cì tīngshuō.

Dàwèi: Hěn shǎo zuò. Zìjǐ zuò fàn bǐ zài wàimian chī piányi, búguò méiyǒu fànguǎn de cài nàme hǎochī.

Ānnà: Nǐ huì zuò shénme fàn?

Dàwèi: Shuǐpíng zuì gāo de dāngrán shì zhǔ fāngbiànmiàn.

Mǎlì: Nà nǐ hé wǒ yíyàng a!

今天是周末，我打算去外面吃饭。每天都吃食堂的饭，肚子早就有意见了。朋友告诉我，有一家火锅店是最近刚开张的，酒水免费。我一听就打算去那儿了。我是跟几个朋友一起去的，一个人去没有意思，人多比较热闹。那家餐厅离学校不太远，走路十多分钟就到了。那儿的环境不错，服务员的态度也很热情，价钱也算公道，就是味道辣了一些。

Jīntiān shì zhōumò, wǒ dǎsuàn qù wàimian chī fàn. Měi tiān dōu chī shítáng de fàn, dùzi zǎo jiù yǒu yìjiàn le. Péngyou gàosu wǒ, yǒu yì jiā huǒguōdiàn shì zuìjìn gāng kāizhāng de, jiǔshuǐ miǎnfèi. Wǒ yì tīng jiù dǎsuàn qù nàr le. Wǒ shì gēn jǐ ge péngyou yìqǐ qù de, yí ge rén qù méiyǒu yìsi, rén duō bǐjiào rènao. Nà jiā cāntīng lí xuéxiào bú tài yuǎn, zǒu lù shí duō fēnzhōng jiù dào le. Nàr de huánjìng búcuò, fúwùyuán de tàidu yě hěn rèqíng, jiàqian yě suàn gōngdao, jiùshì wèidao là le yìxiē.

词语表　New Words and Expressions

1 位	wèi	mw.	(Pol.) *measure word for people*
2 女士	nǚshì	n.	lady, madam
3 饱	bǎo	adj.	full
4 点	diǎn	v.	to order
5 家	jiā	mw.	*measure word (for enterprises, such as resaurant, bookstore, etc.)*
6 餐厅	cāntīng	n.	dining room, dining hall
7 经常	jīngcháng	adv.	often
8 饭馆	fànguǎn	n.	restaurant
9 偶尔	ǒu'ěr	adv.	occasionally
10 还是	háishi	adv.	*indicating that sth. quite unexpected has happened*
11 第	dì	pref.	*used before integers to indicate order*
12 煮	zhǔ	v.	to boil, to cook
13 方便面	fāngbiànmiàn	n.	instant noodles
14 肚子	dùzi	n.	belly, abdomen
15 早	zǎo	adv.	early
16 告诉	gàosu	v.	to tell
17 火锅	huǒguō	n.	hotpot
18 最近	zuìjìn	n.	recently
19 开张	kāizhāng	v.	to open
20 酒水	jiǔshuǐ	n.	beverages, drinks
21 免费	miǎn fèi		free of charge
22 跟	gēn	prep.	with
23 环境	huánjìng	n.	environment
24 服务员	fúwùyuán	n.	waiter
25 态度	tàidu	n.	attitude
26 价钱	jiàqian	n.	price
27 算	suàn	v.	to be considered, to be regarded

28	公道	gōngdao	adj.	fair, just
29	辣	là	adj.	hot
30	一些	yìxiē	q.	some, a few, a little

 Language Points

单元语言点小结 Summary of Language Points

语言点	例句	课号
1. 一……就……	你一进门，我就看见你了。	1
2. 都……了	都十二点了，她还没回来。	1
3. 是……的	我是在机场遇到他的。	1
4. 离	我的宿舍离教室很近。	2
5. "比"字句	他的汉语水平比我高。	2
6. 以前	以前，我住在学校，不住在公寓。	2
7. 概数表达法	她二十三四岁，个子不高。	3
8. 着	她穿着一件黄衬衫，一条蓝色牛仔裤。	3
9. 存在句（1）	我的书包里有几支笔和几个本子。	3
10. A 和 B 一样……	他和我一样，都是学生。/他和我一样高。	4
11. 有的……有的……	有的开车，有的坐车。	4
12. A 没有 B (+ 这么 / 那么)+adj.	美国的自行车没有中国的这么多。	4
13. 像……一样	车很多，像河流一样。	4

课堂练习 **Exercises in Class**

一 任务型练习 Task-based exercises

1. 两人活动：学生两人一组，讨论如果要和女（男）朋友第一次约会，你会去什么样的饭店。

   Pair work：Two students in a group talk about what kind of restaurant you will go when you date with your girl/boy friend for the first time.

   要求：尽量使用本课生词。

   You're required to use the new words in the lesson.

2. 两人活动：学生两人一组，一起商量一下儿去哪里吃晚饭。两人意见不同，因此两人都要描述自己想去的那家饭馆，力争说服对方听从自己的建议。

Pair work：Two students in a group plan to eat dinner outside but the restaurants which you like are different. So you're trying to describe your favorite restaurant in order to persuade the other.

二 扩展阅读　Extensive reading

今天一早，大卫发现自己的手机不见了。他想了一下，昨天上午去机场接朋友，因为朋友的航班晚点了，他等了差不多两个小时，当时他是用手机联系的，应该没丢在机场。接了朋友以后，他们一起去餐厅吃饭，那家餐厅的环境不错，价钱也算公道，就是服务员的态度不太热情，菜的味道也有点儿辣，吃得肚子不太舒服。不过，大卫在那儿用手机接了一个电话，应该没丢在餐厅。下午大卫带朋友去留学生宿舍，朋友不太喜欢住在学校的宿舍，他认为周围都是留学生，对学习汉语没好处。因为大卫的汉语水平比朋友高，所以朋友请他帮忙，要在学校外面租一套公寓，离学校不太远，最好有厨房和卫生间。大卫答应了，他用手机给李军打了一个电话，请他在中介公司的朋友帮忙，手机应该不会丢在朋友的宿舍。晚上他打车回学校，以后没用过手机。那么手机丢在哪儿了呢？这时有人来找大卫，原来他的手机丢在出租车里了，司机给他送到了学校。大卫非常感谢他！

1. 判断正误　True or false

（1）今天大卫的手机丢了。　　　　　　　　　　■

（2）上午，大卫的航班晚点了。　　　　　　　　■

（3）大卫和朋友一起去学校食堂吃了饭。　　　　■

（4）下午大卫带朋友去了留学生宿舍。　　　　　■

（5）大卫的公寓很好，离学校不太远。　　　　　■

（6）大卫给李军打电话，让李军帮忙。　　　　　■

（7）晚上，大卫在自己的房间接了一个电话。　　■

（8）李军给大卫送来了手机。　　　　　　　　　■

2. 选择正确答案　Choose the correct answers

（1）大卫的手机丢在哪儿了？

　　A. 机场　　　　　　　　　　B. 餐厅　　　　　　　　　　C. 出租车里

（2）大卫昨天没去哪儿？

　　A. 宿舍　　　　　　　　　　B. 餐厅　　　　　　　　　　C. 公寓

（3）大卫为什么打电话给李军?

    A. 找房子   B. 介绍朋友   C. 一起吃饭

（4）朋友为什么请大卫帮忙?

    A. 大卫有中国朋友   B. 大卫住在公寓   C. 大卫汉语好

（5）谁给大卫送回了手机?

    A. 李军   B. 司机   C. 朋友

玛　丽：宿舍楼门口围着一些人，发生了什么事？

中　村：走，过去看看。

玛　丽：啊，广告栏上贴着一个通知。

中　村：好像是一个活动的通知。

玛　丽：中村，有的字我不认识，你帮我读一下儿吧。

中　村："九月二十日，国际交流学院将组织留学生去郊区参观，准备参加活动的同学，请带学生证到学院办公室报名。"学院要带我们去郊区参观。

玛　丽：太好了！什么时候报名？

中　村：下午两点到五点半。

玛　丽：在哪儿报名？

中　村：学院办公室。

玛　丽：要办什么手续？

中　村：带学生证就行了。

玛　丽：我马上就去拿。你回宿舍去吗？

中　村：不，我还有点儿事，你先上去吧。

Mǎlì:	Sùshèlóu ménkǒu wéi zhe yìxiē rén, fāshēng le shénme shì?
Zhōngcūn:	Zǒu, guòqu kànkan.
Mǎlì:	À, guǎnggàolán shang tiē zhe yí ge tōngzhī.
Zhōngcūn:	Hǎoxiàng shì yí ge huódòng de tōngzhī.
Mǎlì:	Zhōngcūn, yǒude zì wǒ bú rènshi, nǐ bāng wǒ dú yíxiàr ba.
Zhōngcūn:	"Jiǔyuè èrshí rì, Guójì Jiāoliú Xuéyuàn jiāng zǔzhī liúxuéshēng qù jiāoqū cānguān, zhǔnbèi cānjiā huódòng de tóngxué, qǐng dài xuéshēngzhèng dào xuéyuàn bàngōngshì bàomíng." Xuéyuàn yào dài wǒmen qù jiāoqū cānguān.
Mǎlì:	Tài hǎo le! Shénme shíhou bàomíng?
Zhōngcūn:	Xiàwǔ liǎng diǎn dào wǔ diǎn bàn.
Mǎlì:	Zài nǎr bàomíng?
Zhōngcūn:	Xuéyuàn bàngōngshì.
Mǎlì:	Yào bàn shénme shǒuxù?
Zhōngcūn:	Dài xuéshēngzhèng jiù xíng le.
Mǎlì:	Wǒ mǎshàng jiù qù ná. Nǐ huí sùshè qu ma?
Zhōngcūn:	Bù, wǒ hái yǒu diǎnr shì, nǐ xiān shàngqu ba.

通　知

为了鼓励大家积极参加体育运动，学校将在下个月举办春季"优胜杯"大学生篮球比赛，希望有兴趣的留学生朋友积极参加。

报名地点：36 楼 204 室，学生会体育部办公室

电话：77654932

Tōngzhī

Wèile gǔlì dàjiā jījí cānjiā tǐyù yùndòng, xuéxiào jiāng zài xià ge yuè jǔbàn chūnjì "Yōushèng Bēi" dàxuéshēng lánqiú bǐsài, xīwàng yǒu xìngqù de liúxuéshēng péngyou jījí cānjiā.

Bàomíng dìdiǎn: sānshíliù lóu èr líng sì shì, xuéshēnghuì tǐyùbù bàngōngshì

Diànhuà: qī qī liù wǔ sì jiǔ sān èr

1 围	wéi	v.	to enclose, to surround
2 发生	fāshēng	v.	to happen
3 过去	guòqu		to go over, to pass by
4 广告栏	guǎnggàolán	n.	advertisement column
广告	guǎnggào	n.	advertisement
栏	lán	n.	column
5 贴	tiē	v.	to paste
6 通知	tōngzhī	n.	notice, circular
7 活动	huódòng	n.	activity
8 读	dú	v.	to read
9 交流	jiāoliú	v.	to communicate
10 学院	xuéyuàn	n.	college
11 将	jiāng	adv.	be going to
12 组织	zǔzhī	v.	to organize
13 郊区	jiāoqū	n.	suburb
14 参观	cānguān	v.	to visit (*a place*)
15 学生证	xuéshēngzhèng	n.	students' ID
16 办公室	bàngōngshì	n.	office
17 办	bàn	v.	to handle
18 手续	shǒuxù	n.	procedure
19 马上	mǎshàng	adv.	at once, immediately
20 拿	ná	v.	to take
21 为了	wèile	prep.	in order to
22 鼓励	gǔlì	v.	to encourage
23 积极	jījí	adj.	active
24 体育	tǐyù	n.	physical training
25 运动	yùndòng	n.	sports
26 举办	jǔbàn	v.	to conduct, to hold

27 篮球	lánqiú	n.	basketball
28 地点	dìdiǎn	n.	place, site
29 部	bù	n.	ministry

◉ 专有名词 **Proper Nouns**

| 优胜杯 | Yōushèng Bēi | *Cup of Yousheng* |

 **Language Points**

1 简单趋向补语 Simple directional complement

● 走，过去看看。

（1）V + 来 / 去

▲ "来 / 去"可以用在其他动词的后面，表示动作的方向，叫做趋向补语。"来"表示向着说话人运动；"去"表示背着说话人运动。常用的可以带趋向补语的动词有"上、下、进、出、回、过、起"等。例如：

来 / 去 can be used after verbs, indicating the direction of the action and serving as the directional complement. 来 indicates that the agent moves towards the speaker, while 去 indicates that the agent moves away from the speaker. Verbs that can take the directional complements include 上，下，进，出，回，过 and 起, etc. For example,

①咱们过去看看。

②时间不早了，我该回去了。

③我在房间等你，你快回来吧。

（2）V + O + 来 / 去

▲ 带宾语时，宾语常放在 V 的后边、"来 / 去"的前边。例如：

When the verb takes an object, the object is often placed between the verb and the complement. For example,

④他在河那边等我们，咱们过桥去吧。

⑤你来晚了，他们已经回学校去了。

⑥他唱着歌上楼来了。

2 存在句（2）Existential sentences（2）

● 广告栏上贴着一个通知。

处所词 + V + 着 + q. + n.

▲ 表示某处存在某人或某物，这个句式强调的是某动作结束后遗留的状态。例如：

This pattern is used to indicate that there is something or somebody in some place, emphasizing the state when an action is over. For example,

① 黑板上写着几个字。

② 教室门口站着两个人。

3 为了　In order to

● 为了鼓励大家积极参加体育运动，……

▲ "为了"多出现在句首，表示目的。例如：

This word is often used at the beginning of the sentence, indicating the purpose. For example,

① 为了学习汉语，我到中国来了。

② 为了提高口语水平，他常和中国朋友聊天儿。

③ 他为了能考上研究生，每天努力学习。

课堂练习　　Exercises in Class

一 语言点练习　Grammatical exercises

1. 用"为了"完成句子　Complete the sentences with 为了

（1）_____，我来中国留学。

（2）_____，我常常锻炼身体。

（3）_____，我不常去逛商店。

（4）_____，我们应该每天喝牛奶。

（5）_____，我给他买了一件毛衣。

（6）_____，我请他吃饭。

2. 用指定词语填图　Make sentences with the given words according to the pictures

上去 下来　回来 回去　过去 过来　进去 进来　出去 出来

（1）

（2）

（3）

（4）

（5）

（6）

☐ 任务型练习　Task-based exercises

小组活动：学生三人一组，扮演学生会干部，一起商量怎么举办歌舞比赛。讨论内容包括举办
　　　　　活动的原因、时间、地点、怎么报名等。

Group work：Three students in a group talk about how to organize a singing-dancing contest. They are
　　　　　discussing the purpose, time, venue and registration, etc.

三 扩展阅读 Extensive reading

昨天晚上，我接到了大卫的电话，他说下午在学校的广告栏上看到了一个通知，学校要组织留学生去郊区参观，准备参加活动的同学带学生证到办公室报名。他问我去不去。我来中国几个月了，可是大部分时间都待在学校，我特别想去中国不同的地方看一看。所以今天一下课我就去办公室报名了。在办公室里，我遇到了玛丽，她和我一样，也想去郊区看看。能和朋友们一起去，我太高兴了，真希望能早点儿去！

选择正确答案　Choose the correct answers

（1）"我"是怎么知道学校的通知的？

　　A. 大卫告诉"我"的　　　　B. 玛丽告诉"我"的　　　C. "我"自己看到的

（2）"我"是什么时候去办手续的？

　　A. 昨天下午　　　　　　　B. 今天下课后　　　　　C. 昨天晚上

（3）"我"在哪儿遇到了玛丽？

　　A. 教室　　　　　　　　　B. 办公室　　　　　　　C. 宿舍前

（4）"我"为什么想去郊区？

　　A. 朋友们都去　　　　　　B. 想去看不同的地方　　C. 想学汉语

（5）"我"去办公室干什么？

　　A. 看朋友　　　　　　　　B. 报名　　　　　　　　C. 办回国手续

张　红：妈，看，这些苹果红红的，
大大的，一定很好吃。咱们
买一点儿吧！报上说，吃苹
果对身体有好处，不生病。

妈　妈：水果对身体都有好处。再
说，咱们家的水果还没吃
完呢。

张　红：您说的是橘子吧？太酸了，别吃了吧。

妈　妈：那天是谁说的？橘子有很多维生素 C，对身体有好处，结果买
了四斤，没有人吃。再说，天气这么热，水果也容易坏，吃完
了再买吧。

张　红：那可以放在冰箱里呀。

妈　妈：咱们家那个冰箱前两天就已经塞得满满的了。

张　红：看来该换个大冰箱了。

Zhāng Hóng：Mā, kàn, zhèxiē píngguǒ hónghóng de, dàdà de, yídìng hěn hǎochī. Zánmen mǎi yìdiǎnr
ba! Bào shang shuō, chī píngguǒ duì shēntǐ yǒu hǎochu, bù shēngbìng.

Māma：　　　Shuǐguǒ duì shēntǐ dōu yǒu hǎochu. Zàishuō, zánmen jiā de shuǐguǒ hái méi chīwán ne.

Zhāng Hóng：Nín shuō de shì júzi ba? Tài suān le, bié chī le ba.

Māma: Nà tiān shì shéi shuō de? Júzi yǒu hěn duō wéishēngsù C, duì shēntǐ yǒu hǎochu, jiéguǒ mǎi le sì jīn, méiyǒu rén chī. Zàishuō, tiānqì zhème rè, shuǐguǒ yě róngyì huài, chīwán le zài mǎi ba.

Zhāng Hóng: Nà kěyǐ fàng zài bīngxiāng li ya.

Māma: Zánmen jiā nàge bīngxiāng qián liǎng tiān jiù yǐjīng sāi de mǎnmǎn de le.

Zhāng Hóng: Kànlái gāi huàn ge dà bīngxiāng le.

请大家来猜一下儿这是什么动物：它长得圆圆的、胖胖的，身上的毛是白色的，耳朵和四肢是黑色的，眼睛周围还有一个黑黑的眼圈，像戴了一副墨镜，非常可爱。它主要在中国的西南地区生活，最喜欢吃的食物是竹子。猜出来了吗？对了，它就是大熊猫。

Qǐng dàjiā lái cāi yíxiàr zhè shì shénme dòngwù: tā zhǎng de yuányuán de、pàngpàng de, shēnshang de máo shì báisè de, ěrduo hé sìzhī shì hēisè de, yǎnjing zhōuwéi hái yǒu yí ge hēihēi de yǎnquān, xiàng dài le yí fù mòjìng, fēicháng kě'ài. Tā zhǔyào zài Zhōngguó de Xīnán Dìqū shēnghuó, zuì xǐhuan chī de shíwù shì zhúzi. Cāi chulai le ma? Duì le, tā jiù shì dàxióngmāo.

词语表　New Words and Expressions

1	苹果	píngguǒ	n.	apple
2	报	bào	n.	newspaper
3	生病	shēng bìng		to be sick
4	水果	shuǐguǒ	n.	fruit
5	再说	zàishuō	conj.	and then, furthermore
6	橘子	júzi	n.	orange
7	酸	suān	adj.	sour, tart
8	维生素	wéishēngsù	n.	vitamin
9	结果	jiéguǒ	conj.	as a result

10	放	fàng	v.	to put
11	冰箱	bīngxiāng	n.	refrigerator
12	塞	sāi	v.	to fill, to stuff in
13	满	mǎn	adj.	full
14	看来	kànlái	v.	it looks like...
15	该	gāi	aux.	should
16	猜	cāi	v.	to guess
17	动物	dòngwù	n.	animal
18	圆	yuán	adj.	round
19	胖	pàng	adj.	fat
20	身上	shēnshang	n.	on one's body
21	毛	máo	n.	fur
22	耳朵	ěrduo	n.	ear
23	四肢	sìzhī	n.	four limbs, arms and legs
24	眼圈	yǎnquān	n.	rim of the eye
25	戴	dài	v.	to wear
26	副	fù	mw.	*measure word (for glasses)*
27	墨镜	mòjìng	n.	sunglasses
28	可爱	kě'ài	adj.	lovely, cute
29	食物	shíwù	n.	food
30	竹子	zhúzi	n.	bamboo
31	出来	chūlai	v.	to come out
32	熊猫	xióngmāo	n.	panda

◉ 专有名词　**Proper Nouns**

西南地区	Xīnán Dìqū	Southwest China

语言点 Language Points

1 形容词重叠 Adj. reduplication

● 这些苹果红红的，大大的。

▲ 形容词重叠的基本意义是表示程度加深。当用于定语位置上时，表示程度适中，并且带有喜爱的色彩。一般用于描写性语境。

When the adjective is reduplicated, it basically indicates a deep degree, but when it is used as an attribute, it can be used to indicate a just-right degree and with a kind of affection. It is usually used to make a description.

（1）单音节形容词重叠式：A → AA。例如：

Reduplication of monosyllabic adjectives: A → AA. For example,

高 → 高高　　红 → 红红

（2）双音节形容词重叠式：AB → AABB。例如：

Reduplication of disyllabic adjectives: AB → AABB. For example,

干净 → 干干净净　　舒服 → 舒舒服服

① 天蓝蓝的，云白白的，真漂亮啊！

② 公共汽车上人挤得满满的，还是打车吧。

③ 他的女朋友长长的头发，大大的眼睛，可爱极了。

④ 女孩子都喜欢吃甜甜的蛋糕，对不对？

⑤ 这套公寓干干净净的，离学校又不远，我很满意。

⑥ 我听得清清楚楚的，明天有听写。

2 再说…… Furthermore

● 再说，咱们家的水果还没吃完呢。

▲ 表示附加理由。一般来说，前面的理由比"再说"后面的理由重要。例如：

This word is used to introduce the additional reason. Usually the previous reason (s) is/are more important than the latter. For example,

① 这件衣服对我不合适，再说我也没那么多钱，不买了。

② 我今天有点儿累，再说外面还下着雨，明天再去散步吧。

③ 旅行可以认识新朋友，也可以练习汉语，再说，还可以吃到很多地方的好吃的东西，所以，我常常去旅行。

3 V₁再V₂

● 吃完了再买吧。

▲ V₂ 所表示的动作行为在完成 V₁ 以后发生。例如：

"V₁ 再 V₂" indicates that the second action takes place after the first action. For example,

① 你应该吃了药再睡觉。

② 我正在写作业呢，写完作业再去玩儿。

③ 妈妈说等爸爸回来再吃饭。

4 该……了　It's time to...

● 看来该换个大冰箱了。

▲ 表示应该做某事了。例如：

It's time for somebody to do something. For example,

① 时间不早了，我该回去了。

② 十一点了，该睡觉了，明天还要上课呢。

③ 三月了，天气该暖和了。

 **Exercises in Class**

━ 语言点练习　Grammatical exercises

1. 用 "……，再说……" 回答问题　Answer the questions with ……，再说……

（1）你怎么不去承德旅行？（准备考试、有点儿感冒）

（2）这个周末我们出去玩儿玩儿吧。（天气、周末人多）

（3）这次考试你考得不太好，为什么呀？

（4）今晚我们去吃烤鸭吧。

（5）你为什么学习汉语？

2. 用形容词重叠式造句　Make sentences with adj. reduplication

（1）这儿的苹果／红／买

（2）我同屋／头发／卷（juǎn, curl）

（3）我妹妹／脸（liǎn, face）／圆

（4）冰激凌／甜／喜欢

（5）这个菜／酸／不太好吃

（6）玛丽穿得／漂亮／参加舞会（wǔhuì, ball, dancing party）

3. 用 "V₁再V₂" 完成句子　Complete the sentences with "V₁再V₂"

（1）我们吃完晚饭再 _____ 吧。(to go to sing karaoke)

（2）我们做完作业再 _____ 吧。(to have a chat)

（3）明天我打算复习完功课再 _____。(to go out for fun)

（4）我们吃完长寿面（chángshòumiàn，longevity noodle）再 _____ 。

（to eat birthday cake）

（5）明天我们要 _____（to finish class）再去逛街。

（6）我 _____（after calling my mother）再去找你聊天儿。

二　任务型练习　Task-based exercises

两人活动：学生两人一组，一人扮演妈妈，一人扮演孩子。

Pair work：Two students are in a group. One student is mother. The other one is a child.

情景：两人刚从动物园大熊猫馆出来，现在是吃午饭的时间。

Situation：They just come out from the panda building in the zoo and begin to have lunch.

话题：两人谈论熊猫；妈妈劝孩子多吃水果。

Topic：They are talking about the pandas. The mother is trying to persuade the child to eat more fruits.

要求：使用下面的语言点：

You're required to use the following language points:

形容词重叠　V₁再V₂　该……了　再说

三　扩展阅读　Extensive reading

（一）猜一种水果

　　有一种水果，样子圆圆的，皮黄黄的，里面有很多"小朋友"围在一起，它的味道是酸酸甜甜的。听说它有很多维生素C，多吃就不容易感冒，对人的身体很有好处。你猜出来了吗？

（二）猜一种动物

　　这种动物身体很大。四肢粗粗的，像柱子一样；耳朵大大的，像扇子一样；鼻子长长的，还有两颗很大的牙。它很聪明，也很勤劳，常常帮助人们干活儿，在泰国和印度比较多。你知道它是什么动物了吗？

四肢	sìzhī		four limbs
粗	cū	adj.	thick
柱子	zhùzi	n.	pillar
扇子	shànzi	n.	fan
勤劳	qínláo	adj.	diligent
印度	Yìndù	pn.	India

8

比赛很精彩

玛　丽：今天的足球比赛怎么样？

李　军：非常精彩。

玛　丽：你们赢了？

大　卫：没有。

玛　丽：那一定是输了。

李　军：也没有，二比二，踢平了。

大　卫：都怪我，浪费了那么好的射门机会。要是踢进去，胜利就是我
　　　　们的了。

玛　丽：踢平已经很不简单了。走，今天我请你们吃饭。

大　卫：明天踢完再一块儿请吧。我有点儿累，想回宿舍洗个澡，休息
　　　　一下儿。

玛　丽：明天的对手是谁？

李　军：数学系，听说挺厉害的。

玛　丽：没关系，明天我和安娜去给你们加油。

李　军：太好了！有你们在，我们一定能赢。

Mǎlì:　　Jīntiān de zúqiú bǐsài zěnmeyàng?

Lǐ Jūn:　Fēicháng jīngcǎi.

Mǎlì:　　Nǐmen yíng le?

Dàwèi： Méiyǒu.

Mǎlì： Nà yídìng shì shū le.

Lǐ Jūn： Yě méiyǒu, èr bǐ èr, tīpíng le.

Dàwèi： Dōu guài wǒ, làngfèi le nàme hǎo de shèmén jīhui. Yàoshi tī jinqu, shènglì jiù shì wǒmen de le.

Mǎlì： Tīpíng yǐjīng hěn bù jiǎndān le. Zǒu, jīntiān wǒ qǐng nǐmen chī fàn.

Dàwèi： Míngtiān tīwán zài yíkuàir qǐng ba. Wǒ yǒudiǎnr lèi, xiǎng huí sùshè xǐ ge zǎo, xiūxi yíxiàr.

Mǎlì： Míngtiān de duìshǒu shì shéi?

Lǐ Jūn： Shùxuéxì, tīngshuō tǐng lìhai de.

Mǎlì： Méi guānxi, míngtiān wǒ hé Ānnà qù gěi nǐmen jiāyóu.

Lǐ Jūn： Tài hǎo le! Yǒu nǐmen zài, wǒmen yídìng néng yíng.

早上闹钟响了，可是我没听见，醒来一看，已经是七点四十了。我急忙从床上爬起来，到楼下一推自行车，没气了。没办法，我只好扔下自行车，跑到公共汽车站，发现每辆车都是满满的，我好不容易才挤了上去，可是车刚走了两站就坏了。我只好下来，打了一辆出租车，倒霉的是又堵车了，慢得像乌龟爬。就这样，我终于迟到了。

Zǎoshang nàozhōng xiǎng le, kěshì wǒ méi tīngjian, xǐnglái yí kàn, yǐjīng shì qī diǎn sìshí le. Wǒ jímáng cóng chuáng shang pá qilai, dào lóuxià yì tuī zìxíngchē, méi qì le. Méi bànfǎ, wǒ zhǐhǎo rēngxia zìxíngchē, pǎodào gōnggòng qìchēzhàn, fāxiàn měi liàng chē dōu shì mǎnmǎn de, wǒ hǎobù róngyì cái jǐ le shangqu, kěshì chē gāng zǒu le liǎng zhàn jiù huài le. Wǒ zhǐhǎo xiàlai, dǎ le yí liàng chūzūchē, dǎoméi de shì yòu dǔchē le, màn de xiàng wūguī pá. Jiù zhèyàng, wǒ zhōngyú chídào le.

New Words and Expressions

1	精彩	jīngcǎi	adj.	wonderful
2	赢	yíng	v.	to win
3	输	shū	v.	to lose, to be beaten
4	比	bǐ	v.	*(of a score)* to
5	踢	tī	v.	to kick, to play
6	平	píng	adj.	flat, even
7	怪	guài	v.	to blame, to complain
8	浪费	làngfèi	v.	to waste
9	射门	shè mén		to shoot *(at the goal)*
10	要是	yàoshi	conj.	if
11	进去	jìnqu		to enter, to go in
12	胜利	shènglì	n.	victory
13	一块儿	yíkuàir	adv.	together
14	洗澡	xǐ zǎo		to take a bath, to take a shower
15	对手	duìshǒu	n.	opponent
16	数学	shùxué	n.	mathematics
17	厉害	lìhai	adj.	tough
18	加油	jiā yóu		to cheer, *(to encourage sb.)* to make an extra effort
19	响	xiǎng	v.	to ring, to make a sound
20	听见	tīngjian		to hear
21	醒	xǐng	v.	to awaken, to be awake
22	急忙	jímáng	adv.	in a hurry
23	爬	pá	v.	to get up
24	起来	qǐlai		*used after verbs to indicate upward movement*
25	推	tuī	v.	to push
26	气	qì	n.	air
27	扔	rēng	v.	to throw

28 好不	hǎobù	adv.	*used before some two-character adjectives to show high degree*
29 上去	shàngqu		to go upward
30 站	zhàn	n.	stop, station
31 下来	xiàlai		to come down
32 出租车	chūzūchē	n.	taxi
33 乌龟	wūguī	n.	tortoise

语言点　Language Points

1 复合趋向补语　Compound directional complement

● 要是踢进去，胜利就是我们的了。

▲ "来、去"和"上、下、进、出、回、过、起"等可以组成复合趋向补语，用在动词后面，表示动作的方向。见下表：

来 and 去 can be combined with 上，下，进，出，回，过 and 起 to form compound words and serve as compound directional complements. Compound directional complements are also used after verbs to indicate the direction of the actions. See the table below:

	上	下	进	出	回	过	起
来	+	+	+	+	+	+	+
去	+	+	+	+	+	+	−

① 他很快地跑上去了。

② 弟弟从树上跳下来了。

③ 孩子摔（shuāi, to tumble）倒了，妈妈让他自己爬起来。

⚠ 注意：有宾语时，一般语序为：

Notice：When there is an object in the sentence, the word order is：

V＋上／下／进／出／回／过＋O＋来／去

V＋起＋O＋来

④ 老师走进教室去了。

⑤ 大卫飞回美国去了。

⑥ 汽车开过桥来了。

⑦ 他拿起笔来，准备写字。

▲ 但当宾语是非地点名词时，宾语也可以放在"来／去"之后。例如：

When the object is not a location, it can also be put after 来 or 去 . For example,

⑧ 他拿进来一本书。

⑨ 他搬上来很多箱子。

⑩ 他拿起来一支笔。

2 一V，……

● 醒来一看，已经是七点四十了。

▲ 表示在 V 的动作行为以后，出现或发现了新的情况。例如：

This pattern indicates that after the first action, the speaker finds out a new situation or a new situation occurs. For example,

① 早上有人敲门，我打开门一看，是大卫。

② 安娜拿起电话一听，是妈妈打来的。

③ 他做好了饭，我一尝，有点儿辣。

3 好不容易/好容易才……

● 我好不容易才挤了上去。

▲ 表示很不容易才获得结果或达到目的。此时，"好不容易"和"好容易"意思相同，都是否定的意思。例如：

This phrase is used to indicate that it takes great effort to achieve some target. At this time, 好不容易 has the same meaning with 好容易. Both express a negative meaning. For example,

① 我听了好几遍，好不容易才听懂。

② 今天的作业很多，我好不容易才写完。

③ 衣服很脏，妈妈好容易才洗干净。

 **Exercises in Class**

一 语言点练习　Grammatical exercises

1. 用复合趋向补语造句　Make sentences with compound directional complements

（1）爬　上去　山

（2）跑　回来　家

（3）走　下来　楼

（4）飞　进来　教室

（5）扔　过来　球

（6）搬　出去　桌子

（7）抬　上去　一些东西

（8）踢　进去　球

（9）推　下去　石头（shítou，stone）

（10）拾　起来　一个钱包

2. 用"好不容易/好容易才……"造句　Make sentences with 好不容易/好容易才……

（1）too much homework　　　finished

（2）too much clothes　　　　finished washing

（3）too difficult question　　understood

（4）lost　　　　　　　　　found her

（5）too excited　　　　　　fell asleep

二 任务型练习　Task-based exercises

1. 小组活动：学生两人一组，一人扮演课文（二）中的主人公，一人扮演他的老板。他跟老板解释迟到原因。

Pair work：Two students are in a group. One student plays the role in the text II, the other one plays the role of his boss. He is explaining to his boss why he was late.

2. 小组活动：学生两人一组，一人扮演记者，一人扮演数学系足球队队员。

Pair work：Two students are in a group. One student is a reportor, the other one is a football player from maths department.

要求：使用下面的语言点：

You're required to use the following grammar points:

一 V，……　好不容易才……　趋向补语

3. 你遇到过什么倒霉事？跟大家分享一下吧。

Do you have some unlucky experiences? Tell your story to your classmates.

三 扩展阅读　Extensive reading

上周末，留学生队和中文系学生队举行了一场足球比赛。大卫和李军都参加了，玛丽和安娜去给他们加油。大家都踢得很不错，比赛也很精彩。比赛的结果是两个队二比二踢平了，没有输赢。在那天的比赛中，李军非常厉害，踢进了两个球。大卫踢得也不错，不过，他错过了一次射门的机会，他觉得很后悔。

错过　cuòguò　v.　to miss
后悔　hòuhuǐ　v.　to regret

选择正确答案　Choose the correct answers

（1）中文系学生队和留学生队举行了什么比赛？
　　A. 篮球　　　　　　　B. 网球　　　　　　　C. 足球

（2）比赛的结果怎么样？
　　A. 两队平了　　　　　B. 中文系赢了　　　　C. 留学生队赢了

（3）谁踢进了两个球？
　　A. 大卫　　　　　　　B. 李军　　　　　　　C. 玛丽

（4）大卫为什么觉得后悔？
　　A. 踢平了　　　　　　B. 留学生队输了　　　C. 错过了射门机会

（5）那天谁没有去给球队加油？
　　A. 玛丽　　　　　　　B. 中村　　　　　　　C. 安娜

张　红：李军，你的腿怎么了？

　　　　为什么一拐一拐的？

李　军：嗐，别提了，都因为钥匙。

张　红：什么钥匙？

李　军：房间钥匙。我忘了带钥匙，进不去宿舍了。

张　红：那你的腿怎么这样了？

李　军：足球比赛马上要开始了，我怕来不及，就从窗户爬进去了。

张　红：你们的房间在三层，你怎么爬进去的？

李　军：我们隔壁是水房。我从水房窗户爬过去的。

张　红：那多危险啊！

李　军：还算顺利。不过往房间里跳时，一下子摔倒了，你看，就变成现在这个样子了。

Zhāng Hóng：Lǐ Jūn, nǐ de tuǐ zěnme le? Wèi shénme yì guǎi yì guǎi de?

Lǐ Jūn：　　Hài, biétí le, dōu yīnwèi yàoshi.

Zhāng Hóng：Shénme yàoshi?

Lǐ Jūn：　　Fángjiān yàoshi. Wǒ wàng le dài yàoshi, jìn bu qù sùshè le.

Zhāng Hóng：Nà nǐ de tuǐ zěnme zhèyàng le?

Lǐ Jūn：　　Zúqiú bǐsài mǎshàng yào kāishǐ le, wǒ pà láibují, jiù cóng chuānghu pá jinqu le.

Zhāng Hóng：Nǐmen de fángjiān zài sān céng, nǐ zěnme pá jinqu de?

Lǐ Jūn： Wǒmen gébì shì shuǐfáng. Wǒ cóng shuǐfáng chuānghu pá guoqu de.

Zhāng Hóng： Nà duō wēixiǎn a!

Lǐ Jūn： Hái suàn shùnlì. Búguò wǎng fángjiān li tiào shí, yíxiàzi shuāidǎo le, nǐ kàn, jiù biànchéng xiànzài zhège yàngzi le.

有一个人眼睛近视，常常看不清楚东西。一天，他回家后，脱下衬衫挂在墙上，可是衣服掉在了地上，原来那个地方没有钉子，是一只苍蝇，苍蝇立刻就飞走了。夜里，有只蚊子飞来飞去，他睡不着觉，就爬起来打蚊子。

他看到墙上落着一只蚊子，就轻轻地走过去，一巴掌打了下去。突然，他感到手非常疼。原来墙上是一个钉子，不是蚊子。

Yǒu yí ge rén yǎnjing jìnshì, chángcháng kàn bu qīngchu dōngxi. Yì tiān, tā huí jiā hòu, tuōxia chènshān guà zài qiáng shang, kěshì yīfu diào zài le dìshang, yuánlái nàge dìfang méiyǒu dīngzi, shì yì zhī cāngying, cāngying lìkè jiù fēizǒu le. Yèli, yǒu zhī wénzi fēilái fēiqù, tā shuì bu zháo jiào, jiù pá qilai dǎ wénzi. Tā kàndào qiáng shang luò zhe yì zhī wénzi, jiù qīngqīng de zǒu guoqu, yì bāzhang dǎ le xiaqu. Tūrán, tā gǎndào shǒu fēicháng téng. Yuánlái qiáng shang shì yí ge dīngzi, bú shì wénzi.

词语表 New Words and Expressions

1	腿	tuǐ	n.	leg
2	拐	guǎi	v.	to limp
3	因为	yīnwèi	conj.	because, because of
4	来不及	láibují	v.	there's not enough time

5	窗户	chuānghu	n.	window
6	层	céng	mw.	storey, floor
7	隔壁	gébì	n.	next door
8	水房	shuǐfáng	n.	washing room
9	危险	wēixiǎn	adj.	dangerous
10	往	wǎng	prep.	towards
11	跳	tiào	v.	to jump
12	一下子	yíxiàzi	adv.	all at once, all of a sudden
13	摔	shuāi	v.	to tumble, to fall
14	变成	biànchéng		to turn into
15	近视	jìnshì	adj.	myopic, short-sighted
16	清楚	qīngchu	adj.	clear
17	脱	tuō	v.	to take off
18	挂	guà	v.	to hang
19	墙	qiáng	n.	wall
20	掉	diào	v.	to fall, to drop
21	钉子	dīngzi	n.	nail
22	只	zhī	mw.	*measure word (for some animals, boots or utensils)*
23	苍蝇	cāngying	n.	fly
24	立刻	lìkè	adv.	at once
25	飞	fēi	v.	to fly
26	蚊子	wénzi	n.	mosquito
27	着	zháo	v.	*used after a verb to indicate the result of reaching the goal or the action*
28	落	luò	v.	to go down, to fall
29	轻	qīng	adj.	light
30	巴掌	bāzhang	n.	palm, hand
31	下去	xiàqu		to go down
32	突然	tūrán	adj.	suddenly
33	感到	gǎndào	v.	to feel

 **Language Points** · · · · · · · · · · · · · · · · · ·

1 可能补语　Potential complement

● 我忘了带钥匙，进不去宿舍了。

▲ 结果补语或趋向补语之前加上"得/不"构成可能补语，表示结果能否实现。例如：

A potential complement is formed by a result complement or directional complement with 得 / 不 preceded, indicating the possibility of realizing the result. For example,

结果补语	可能补语		趋向补语	可能补语	
洗干净	洗得干净	洗不干净	进去	进得去	进不去
听懂	听得懂	听不懂	起来	起得来	起不来

① 这件衣服太脏了，洗不干净。

② 她说话很慢，我听得懂。

③ 早上八点上课，太早了，你起得来吗？

④ 这个通知你看得懂看不懂？

2 往＋方位词／地点＋V

● 不过往房间里跳时，一下子摔倒了。

▲ "往"表示动作的方向。例如：

往 is used before locational words to indicate the direction. For example,

① 往前走，五分钟左右就到图书馆了。

② 先往北走，再往西拐，就是银行。

③ 射门就是往球门里踢球。

3 V来V去

● 夜里，有只蚊子飞来飞去。

▲ "V来V去"表示相同的动作行为多次重复。例如：

This pattern indicates that an action takes place many times. For example,

① 孩子们在房间里跑来跑去。

② 球踢来踢去，就是踢不进球门。

③ 她想来想去，也不知道该怎么办。

课堂练习　Exercises in Class

一 语言点练习　Grammatical exercises

将下列补语改成可能补语并造句

Change the following complements into potential complements and make sentences

例：洗干净→洗得干净 / 洗不干净

　　　→衣服太脏了，洗不干净。

　　　→衣服太脏了，你洗得干净吗？ / 你洗得干净洗不干净？

（1）听见 →

（2）做完 →

（3）看清楚 →

（4）买到 →

（5）爬上去 →

（6）踢进去 →

（7）跳起来 →

（8）开过去 →

二 任务型练习　Task-based exercises

1. 两人活动：学生两人一组，一人扮演张红，一人扮演老师。张红帮李军向老师请假。

Pair work：Two students are in a group. One student plays the role of Zhang Hong. The other one plays the role of the teacher. Zhang Hong is asking for a leave for Li Jun.

要求：尽量使用本课所学生词，解释清楚李军受伤的经过。

You're required to use the new words in this lesson, and clearly explain how Li Jun got injured.

2. 两人活动：学生两人一组，一人扮演近视的人，一人扮演医生。近视的人向医生讲受伤的经过。

Pair work：One student plays the role of the myopic person. The other one plays the role of the doctor. The myopic person tells the doctor why he was hurted.

3. 小组活动：你近视吗？跟你的两位同学一起谈谈近视的苦恼和趣事吧。

Group work：Are you myopic? Share your stories with your classmates.

要求：尽量使用本课所学生词，并使用下面的语言点：

You're required to use the new words in this lesson and the following language points：

V 来 V 去　可能补语

三 扩展阅读 Extensive reading

有三个人，名叫张三、李四和王五，都是近视眼，常常看不清楚东西，但是他们都不愿意承认。一天，他们听说有座庙第二天早上要挂一块新匾，就约好去看。谁能看清匾上的字，就说明谁的眼睛最好。张三晚上睡不着，就爬起来跑到庙里，问庙里的人匾上的字是什么，那个人告诉了他。李四也睡不着，也爬起来去问庙里的人匾上写的字，而且他还问了是谁写的字。王五和张三、李四一样，也去问了匾上的字，还问了写匾的年月日。第二天，他们三个人一见面，每个人都说看清了匾上的字，但是他们旁边的人都笑了起来，因为新匾还没挂出来呢。

承认　chéngrèn　v.　to admit, to acknowledge

庙　miào　n.　temple

匾　biǎn　n.　a horizontal board inscribed with words of praise

回答问题 Answer the questions

（1）张三、李四、王五都有什么毛病？

（2）他们约好了做什么事情？

（3）张三怎么知道匾上的字的？

（4）李四和张三知道的内容一样吗？

（5）王五为了知道匾上的字，做了什么？

（6）第二天，听了他们的对话，旁边的人为什么都笑了？

山上的风景美极了

Shān Shang de Fēngjǐng Měijí le

中　村：玛丽，周末去农村的旅行
　　　　怎么样？

玛　丽：很不错。上午我们先参观
　　　　了一所敬老院，然后参观
　　　　了一所幼儿园，我们和孩
　　　　子们一起唱歌、跳舞、做
　　　　游戏，非常有意思。

中　村：去农民家了吗？

玛　丽：去了，我们还在农民家吃饭了呢。

中　村：后来去别的地方了吗？

玛　丽：下午我们去爬了附近的一座山，山上有古老的长城，非常雄伟。

中　村：是什么山？

玛　丽：想不起山的名字来了，听说是那个地区最高的山，有几百米
　　　　高吧。

中　村：那么高，你爬得上去吗？

玛　丽：在朋友们的鼓励下，我好不容易才爬了上去。从山上往远处一
　　　　看，美极了：蓝蓝的天，白白的云，红红的花，绿绿的草，小
　　　　鸟在天上飞来飞去……真像一幅风景画儿。

中　村：听你这么一说，我真后悔没有去。

玛　丽：没关系，我照了很多相片，可以送给你。

Zhōngcūn: Mǎlì, zhōumò qù nóngcūn de lǚxíng zěnmeyàng?

Mǎlì: Hěn búcuò. Shàngwǔ wǒmen xiān cānguān le yì suǒ jìnglǎoyuàn, ránhòu cānguān le yì suǒ yòu'éryuán, wǒmen hé háizimen yìqǐ chàng gē、tiàowǔ、zuò yóuxì, fēicháng yǒu yìsi.

Zhōngcūn: Qù nóngmín jiā le ma?

Mǎlì: Qù le, wǒmen hái zài nóngmín jiā chī fàn le ne.

Zhōngcūn: Hòulái qù bié de dìfang le ma?

Mǎlì: Xiàwǔ wǒmen qù pá le fùjìn de yí zuò shān, shān shang yǒu gǔlǎo de Chángchéng, fēicháng xióngwěi.

Zhōngcūn: Shì shénme shān?

Mǎlì: Xiǎng bu qǐ shān de míngzi lái le, tīngshuō shì nàge dìqū zuì gāo de shān, yǒu jǐbǎi mǐ gāo ba.

Zhōngcūn: Nàme gāo, nǐ pá de shangqu ma?

Mǎlì: Zài péngyoumen de gǔlì xià, wǒ hǎobù róngyì cái pá le shangqu. Cóng shān shang wǎng yuǎn chù yí kàn, měijí le: lánlán de tiān, báibái de yún, hónghóng de huā, lǜlǜ de cǎo, xiǎo niǎo zài tiānshang fēilái fēiqù……Zhēn xiàng yì fú fēngjǐng huàr.

Zhōngcūn: Tīng nǐ zhème yì shuō, wǒ zhēn hòuhuǐ méiyǒu qù.

Mǎlì: Méi guānxi, wǒ zhào le hěn duō xiàngpiàn, kěyǐ sòng gěi nǐ.

玛丽宿舍的墙上贴着一张照片，是玛丽在长城上照的。照片上蓝天白云，阳光灿烂，古老的长城像一条巨龙卧在山峰上，高高低低，朝远处延伸出去，非常壮观。玛丽站在高高的城墙上，笑得很开心，右手的食指和中指摆成 V 字。她身上穿着一件 T 恤衫，上面写着一行字："我登上了长城"。

　　Mǎlì sùshè de qiáng shang tiē zhe yì zhāng zhàopiàn, shì Mǎlì zài Chángchéng shang zhào de. Zhàopiàn shang lán tiān bái yún, yángguāng cànlàn, gǔlǎo de Chángchéng xiàng yì tiáo jù lóng wò zài shānfēng shang, gāogāodīdī, cháo yuǎn chù yánshēn chuqu, fēicháng zhuàngguān. Mǎlì zhàn zài gāogāo de chéngqiáng shang, xiào de hěn kāixīn, yòu shǒu de shízhǐ hé zhōngzhǐ bǎichéng V zì. Tā shēnshang chuān zhe yí jiàn T xùshān, shàngmian xiě zhe yì háng zì: "Wǒ dēngshang le Chángchéng".

词语表　New Words and Expressions

1	农村	nóngcūn	n.	village
2	所	suǒ	mw.	*measure word (for houses, schools, etc.)*
3	敬老院	jìnglǎoyuàn	n.	old folks' home, home for the aged
4	幼儿园	yòu'éryuán	n.	kindergarten, nursery school
5	游戏	yóuxì	n.	game
6	农民	nóngmín	n.	farmer
7	后来	hòulái	n.	later, afterwards
8	附近	fùjìn	adj.	nearby
9	座	zuò	mw.	*measure word (for mountains, buildings, etc.)*
10	山	shān	n.	mountain, hill
11	古老	gǔlǎo	adj.	ancient, age-old
12	雄伟	xióngwěi	adj.	grand, imposing and great
13	地区	dìqū	n.	district
14	百	bǎi	num.	hundred
15	云	yún	n.	cloud
16	草	cǎo	n.	grass
17	鸟	niǎo	n.	bird
18	天上	tiānshang	n.	in the sky
19	幅	fú	mw.	*measure word (for pictures, scrolls, etc.)*
20	画儿	huàr	n.	picture, painting
21	后悔	hòuhuǐ	v.	to regret
22	照	zhào	v.	to photograph, to take (a picture)
23	相片	xiàngpiàn	n.	photograph
24	阳光	yángguāng	n.	sunlight
25	灿烂	cànlàn	adj.	brilliant, glorious
26	巨龙	jù lóng		huge dragon
27	卧	wò	v.	to lie, to crouch
28	山峰	shānfēng	n.	mountain peak

29	低	dī	adj.	low
30	朝	cháo	prep.	towards
31	延伸	yánshēn	v.	to extend, to stretch
32	站	zhàn	v.	to stand
33	笑	xiào	v.	to smile, to laugh
34	开心	kāixīn	adj.	happy, glad
35	右	yòu	n.	right
36	食指	shízhǐ	n.	index finger
37	中指	zhōngzhǐ	n.	middle finger
38	摆	bǎi	v.	to lay, to set
39	T恤衫	T xùshān		T-shirt
40	上面	shàngmian	n.	above, upside
41	行	háng	mw.	line, row
42	登	dēng	v.	to ascend, to mount

◎ 专有名词 Proper Nouns

长城	Chángchéng	the Great Wall

Language Points

单元语言点小结 Summary of Language Points

语言点	例句	课号
1. 简单趋向补语	咱们过去看看吧。	6
2. 存在句（2）	墙上挂着一幅画儿。	6
3. 为了	为了学习汉语，我来中国留学。	6
4. 形容词重叠	她头发长长的，眼睛大大的，很漂亮。	7
5. 再说……	这家餐厅的菜很好吃，再说，价钱也不贵。	7
6. V₁再V₂	写完作业再去玩儿。	7

语言点	例句	课号
7. 该……了	时间不早了，我该回去了。	7
8. 复合趋向补语	他急急忙忙地跑上楼去了。	8
9. 一 V，……	我拿起电话一听，是老师打来的。	8
10. 好不容易 / 好容易才……	车站人很多，我好不容易才买到车票。	8
11. 可能补语	那座山太高了，我爬不上去。	9
12. 往 + 方位词 / 地点 +V	往前走，到路口再往左拐，就到了。	9
13. V 来 V 去	看来看去，这些衣服我都不喜欢。	9

课堂练习　Exercises in Class

一　任务型练习　Task-based exercises

1. 辩论活动：学生分成两组，一组主张住在农村好，一组主张住在城市好。合作准备理由，然后两组辩论。

   Debate：One group claims that it is better to live in countryside, while the other group claims that it is better to live in city. Two groups make a debate.

   要求：尽量使用本课生词和本单元语言点。

   You're required to use the new words in the lesson and the language points in the unit.

2. 两人活动：学生两人一组，一人描述一张风景照片，另一人边听边画。然后两人一起谈谈照片的来历，比如：是什么时候在什么地方拍的。

   Pair work：Two students are in a group. One student describes a senic picture. The other student listens and tries to draw out the picture. Then the two students talk about the story of the picture. For example, when and where the picture was taken.

二　扩展阅读　Extensive reading

　　最近，我和同学们参加了学校组织的活动。我们参观了郊区农村的幼儿园、敬老院，还参观了小学和做衣服的工厂。我最难忘的是在农民家吃饭。他们做了很多菜。这些菜都是他们自己种的，很新鲜，所以味道好极了。农民们很热情，一直和我们聊天儿，也一直劝我们喝酒，结果我们差一点儿喝

工厂　gōngchǎng　n. factory, mill

难忘　nánwàng　adj. unforgetable

种　zhòng　v. to plant

醉了。只是我的汉语水平还不太高，他们说的很多
话我还听不懂。我决心好好儿学习汉语，以后有机
会再去农村。

决心 juéxīn v. to make up
one's mind

选择正确答案 Choose the correct answers

（1）他们没去_____参观。

　　A. 幼儿园　　　　　B. 农民家　　　　C. 敬老院　　　　D. 公司

（2）他们参观的工厂是做_____的。

　　A. 衬衫　　　　　B. 牛仔裤　　　　C. T恤衫　　　　D. 衣服

（3）农民家的菜是_____。

　　A. 自己种的　　　B. 商店买的　　　C. 朋友送的

（4）农民做的菜不_____。

　　A. 好吃　　　　　B. 新鲜　　　　　C. 难吃

（5）他们喝了酒以后，_____。

　　A. 都喝醉了　　　B. 有一个人喝醉了　　C. 都没喝醉

张　红：玛丽，你不是想学做中国菜吗？今天我就教你做一个中国的家常菜。

玛　丽："家常菜"是什么菜呀？

张　红：家常菜就是中国人平时在家里常吃的菜。

玛　丽：好啊，我就想学做在家里吃的菜。对了，做什么菜呀？

张　红：西红柿炒鸡蛋，又好吃又好学，咱们一起做怎么样？

玛　丽：行，我做什么？

张　红：来，把鸡蛋打到这个碗里，用筷子搅拌均匀，再把西红柿切成小块儿。

玛　丽：你看这么大行吗？

张　红：挺好。你把火点着，把锅放在火上，往锅里倒点儿油，把鸡蛋放进去炒一下儿，倒出来。再放一点儿油，把西红柿放进锅里炒熟，把炒好的鸡蛋放进去，别忘了加点儿白糖，最后再加点儿盐。……好了，尝尝，怎么样？

玛　丽：嗯，又好看又好吃，真不错！

张　红：是啊，这就是中国菜的特点：看起来漂亮，闻起来很香，吃起来好吃。

玛　丽：就是做起来不太容易。

Zhāng Hóng: Mǎlì, nǐ bú shì xiǎng xué zuò Zhōngguó cài ma? Jīntiān wǒ jiù jiāo nǐ zuò yí ge Zhōngguó de jiāchángcài.

Mǎlì: "Jiāchángcài" shì shénme cài ya?

Zhāng Hóng: Jiāchángcài jiù shì Zhōngguórén píngshí zài jiāli cháng chī de cài.

Mǎlì: Hǎo a, wǒ jiù xiǎng xué zuò zài jiāli chī de cài. Duì le, zuò shénme cài ya?

Zhāng Hóng: Xīhóngshì chǎo jīdàn, yòu hǎochī yòu hǎo xué, zánmen yìqǐ zuò zěnmeyàng?

Mǎlì: Xíng, wǒ zuò shénme?

Zhāng Hóng: Lái, bǎ jīdàn dǎdào zhège wǎn li, yòng kuàizi jiǎobàn jūnyún, zài bǎ xīhóngshì qiēchéng xiǎo kuàir.

Mǎlì: Nǐ kàn zhème dà xíng ma?

Zhāng Hóng: Tǐng hǎo. Nǐ bǎ huǒ diǎnzháo, bǎ guō fàng zài huǒ shang, wǎng guō li dào diǎnr yóu, bǎ jīdàn fàng jinqu chǎo yíxiàr, dào chulai. Zài fàng yìdiǎnr yóu, bǎ xīhóngshì fàngjin guō li chǎoshú, bǎ chǎohǎo de jīdàn fàng jinqu, bié wàng le jiā diǎnr báitáng, zuìhòu zài jiā diǎnr yán. ……Hǎo le, chángchang, zěnmeyàng?

Mǎlì: Ǹg, yòu hǎokàn yòu hǎochī, zhēn búcuò!

Zhāng Hóng: Shì a, zhè jiù shì Zhōngguó cài de tèdiǎn: kàn qilai piàoliang, wén qilai hěn xiāng, chī qilai hǎochī.

Mǎlì: Jiù shì zuò qilai bú tài róngyì.

西红柿炒鸡蛋

原料：西红柿 500 克，鸡蛋 2 个，油 50 克，白糖 25 克，盐 5 克，水淀粉 15 克。

做法：1. 把西红柿洗干净，切成小块儿；把鸡蛋打进碗里，加一点儿盐，用热油炒好。

2. 把油放进锅里，油热后放进西红柿、鸡蛋，搅拌均匀后加白糖和盐，再搅拌几下儿，开锅后迅速加进水淀粉。

特点：甜咸可口，营养丰富。

Xīhóngshì Chǎo Jīdàn

Yuánliào: Xīhóngshì wǔbǎi kè, jīdàn liǎng ge, yóu wǔshí kè, báitáng èrshíwǔ kè, yán wǔ kè, shuǐdiànfěn shíwǔ kè.

Zuòfǎ: 1. Bǎ xīhóngshì xǐ gānjìng, qiēchéng xiǎo kuàir; bǎ jīdàn dǎjin wǎn li, jiā yìdiǎnr yán, yòng rè yóu chǎohǎo.

2. Bǎ yóu fàngjin guō li, yóu rè hòu fàngjin xīhóngshì, jīdàn, jiǎobàn jūnyún hòu jiā báitáng hé yán, zài jiǎobàn jǐ xiàr, kāiguō hòu xùnsù jiājin shuǐdiànfěn.

Tèdiǎn: Tián xián kěkǒu, yíngyǎng fēngfù.

词语表 New Words and Expressions

1 教	jiāo	v.	to teach
2 家常菜	jiāchángcài	n.	home-made dish (food)
3 西红柿	xīhóngshì	n.	tomato
4 鸡蛋	jīdàn	n.	egg
5 把	bǎ	prep.	*used to introduce an object to put it before the main verb in the sentence*
6 筷子	kuàizi	n.	chopstick
7 搅拌	jiǎobàn	v.	to mix, to stir
8 均匀	jūnyún	adj.	well-distributed
9 切	qiē	v.	to cut
10 块儿	kuàir	n.	piece
11 火	huǒ	n.	fire
12 点着	diǎnzháo		to light a fire
点	diǎn	v.	to light
13 锅	guō	n.	pot, wok
14 油	yóu	n.	oil
15 熟	shú/shóu	adj.	cooked
16 加	jiā	v.	to add
17 白糖	báitáng	n.	white sugar
18 最后	zuìhòu	n.	final, at last

19	盐	yán	n.	salt
20	尝	cháng	v.	to taste
21	嗯	ǹg	interj.	*indicating a reply*
22	特点	tèdiǎn	n.	characteristic
23	闻	wén	v.	to smell
24	香	xiāng	adj.	appetizing, delicious
25	原料	yuánliào	n.	raw material
26	克	kè	mw.	gram
27	淀粉	diànfěn	n.	starch
28	做法	zuòfǎ	n.	way of handling or making something
29	开锅	kāi guō		(of a pot) to boil
30	迅速	xùnsù	adj.	rapid, speedy
31	咸	xián	adj.	salted, salty
32	可口	kěkǒu	adj.	tasty
33	营养	yíngyǎng	n.	nutrition
34	丰富	fēngfù	adj.	rich, abundant

 **Language Points**

1 就是

● 家常菜就是中国人平时在家里常吃的菜。

（1）对前面的事物进行解释、说明。例如：
Used to expound the previous objects. For example,

① 北大，就是北京大学。

②“二锅头”，就是一种很厉害的中国白酒。

● 就是做起来不太容易。

（2）指出不足的方面，语气较委婉。例如：
Used to point out the shortcoming with a mild tone. For example,

③ 这个菜很好吃，就是太辣了。

④ 那套公寓不错，就是离学校有点儿远。

2 又……又……

- 西红柿炒鸡蛋，又好吃又好学。

▲ 连接形容词或动词，表示两种性质状态或动作行为同时存在。例如：
This pattern is used to connect adjectives or verbs, indicating two states or actions exist at the same time. For example,

① 他长得又高又大，他的女朋友又聪明又漂亮。
② 他写汉字写得又快又好。
③ 那个孩子又唱又跳，高兴极了。
④ 老朋友在一起又说又笑，很高兴。

3 "把"字句（1） 把 sentence（1）

- 把鸡蛋打到这个碗里。

（1）S + 把 + N$_1$ + V + 在 / 到 / 进 / 给 / 成 + N$_2$

▲ 表示 S 通过 V 使 N$_1$ 变成 N$_2$ 表示的位置或状态。例如：
This pattern is used to express that the position or the status of N$_1$ is changed into N$_2$ through the action. For example,

① 他把锅放在了火上。
② 我把行李搬进房间了。
③ 你把那本书带给王老师了吗？
④ 我把西红柿切成小块儿了。

- 把西红柿放进锅里炒熟。

（2）S + 把 + N + V + 结果补语（complements）

▲ 表示 S 通过动作 V 使 N 产生变化，达到某种目的或目标。例如：
This pattern is used to indicate that a target is achieved after the action. For example,

⑤ 请把这件衣服洗干净。
⑥ 你把火点着。

4 V 起来

- 就是做起来不太容易。

▲ "V 起来"除了表示动作的趋向以外，还可以用于引出评价或判断。例如：
Besides the direction of the action，V 起来 can still be used to draw an evaluation or judgement. For example,

① 出国留学的手续说起来简单，办起来其实很麻烦。

② 这套公寓离学校不远，又很干净，看起来挺不错的。

课堂练习　　Exercises in Class

一　语言点练习　Grammatical exercises

1. 把下列句子改成"把"字句　Rewrite the sentences with 把

（1）我做完了作业。

→

（2）你收拾好行李了吗？

→

（3）你的自行车，我放在车棚里了。

→

（4）你写错了，这是"日"，你写成了"目"。

→

（5）这是刘老师的书，请你给他好吗？

→

2. 用"把"造句　Make sentences with 把

（1）书　放　桌子上

（2）行李　搬　楼下

（3）垃圾　扔　垃圾桶

（4）礼物　送　她

（5）盐　递　我

（6）英语　翻译　汉语

（7）苹果　洗

（8）衬衫　脱

（9）衬衫　挂

（10）冰箱　塞

3. 用"又……又……"回答问题　Answer the questions with 又……又……

（1）你的女朋友怎么样？

（2）你的男朋友怎么样？

（3）你喜欢什么样的苹果？

（4）你姐姐的孩子怎么样？

（5）他做的中国菜怎么样？

4. 用"V 起来"造句　Make sentences with "V 起来"

（1）他的歌　好听

（2）葡萄酒　好喝

（3）中国菜　好吃　好看

（4）高跟鞋　漂亮　舒服

（5）丝绸衣服　软　舒服

二 任务型练习　Task-based exercises

1.

	汉语里的词汇 (Vocabulary in Chinese)
菜的做法	
做菜用的器具 (utensil)	
做菜用的调料 (seasoning)	
味道	

2. 请介绍一个菜的做法　Please introduce the receipt of one dish

三 扩展阅读　Extensive reading

酸辣土豆丝

原料：土豆 500 克，干红辣椒 2 个，醋 2 大勺，酱油 1 大勺，鲜汤半碗，青蒜苗、盐、味精、料酒、白糖、葱丝、姜丝、水淀粉、辣椒油适量。

做法：1. 把土豆洗干净，切成细丝，泡入凉水中；把青蒜苗洗干净，切成 3 厘米长的段；把干红辣椒用水泡一下儿，切成细丝。

土豆　tǔdòu　n.　potato

辣椒　làjiāo　n.　hot pepper

醋　cù　n.　vinegar

酱油　jiàngyóu　n.　soy sauce

青蒜苗　qīngsuànmiáo　n. garlic sprout

味精　wèijīng　n.　MSG

料酒　liàojiǔ　n.　cooking wine

2. 把炒锅放到火上，加入油，烧热以后，放入干红辣椒丝，变成褐色时放入葱、姜丝炒一下儿，放入醋，然后放入土豆丝翻炒几下。

3. 放入酱油、料酒、盐、白糖、鲜汤翻炒，土豆丝快熟时，加入青蒜苗、味精拌炒，再倒入水淀粉、辣椒油翻炒均匀，出锅。

葱	cōng	n.	green Chinese onion
姜	jiāng	n.	ginger
适量	shìliàng	adj.	appropriate amollnt
入	rù	v.	to go into
厘米	límǐ	mw.	centimeter
褐色	hèsè	n.	brown

根据这个菜谱，试着做一个酸辣土豆丝

According to this recipe, try to make the sour and spicy shredded potato

Bānjiā
搬家

大　卫：劳驾，请把这些纸箱子搬到那儿，注意按纸箱子上的号码放好，不要把顺序弄乱了。

工　人：好。电视放在哪儿？

大　卫：先放在桌子上吧。小心，很重，别把手碰了。

工　人：先生，您的东西都在这儿了。

大　卫：谢谢，你们辛苦了。

（在电话里）

工作人员：保洁公司。需要我们为您服务吗？

大　卫：我刚搬完家，家里比较脏，想请你们来收拾一下儿。

工作人员：好，请把您的姓名、地址和电话号码告诉我们。先生贵姓？

大　卫：免贵，我叫大卫，住在华美小区 3 号楼 2 单元 1603 号，我的手机号码是 13691350769。你们明天下午两点来，好吗？

工作人员：好，明天下午见。

Dàwèi:　Láojià, qǐng bǎ zhèxiē zhǐ xiāngzi bāndào nàr, zhùyì àn zhǐ xiāngzi shang de hàomǎ fànghǎo, búyào bǎ shùnxù nòngluàn le.

Gōngrén:　Hǎo. Diànshì fàng zài nǎr?

Dàwèi:　Xiān fàng zài zhuōzi shang ba. Xiǎoxīn, hěn zhòng, bié bǎ shǒu pèng le.

Gōngrén:　　　　Xiānsheng, nín de dōngxi dōu zài zhèr le.

Dàwèi:　　　　　Xièxie, nǐmen xīnkǔ le.

(zài diànhuà li)

Gōngzuò rényuán: Bǎojié gōngsī. Xūyào wǒmen wèi nín fúwù ma?

Dàwèi:　　　　　Wǒ gāng bānwán jiā, jiāli bǐjiào zāng, xiǎng qǐng nǐmen lái shōushi yíxiàr.

Gōngzuò rényuán: Hǎo, qǐng bǎ nín de xìngmíng、dìzhǐ hé diànhuà hàomǎ gàosu wǒmen. Xiānsheng guìxìng?

Dàwèi:　　　　　Miǎn guì , wǒ jiào Dàwèi, zhù zài Huáměi Xiǎoqū sān hào lóu èr dānyuán yāo liù líng sān hào, wǒ de shǒujī hàomǎ shì yāo sān liù jiǔ yāo sān wǔ líng qī liù jiǔ. Nǐmen míngtiān xiàwǔ liǎng diǎn lái, hǎo ma?

Gōngzuò rényuán: Hǎo, míngtiān xiàwǔ jiàn.

我看中了一套房子。这套房子离学校不太远，在一个居民小区里。小区的南边是一个小公园，每天有很多人在那儿散步、下棋。北边有一个大超市，买东西很方便。东边离地铁站不远。西边没有房子，远远地

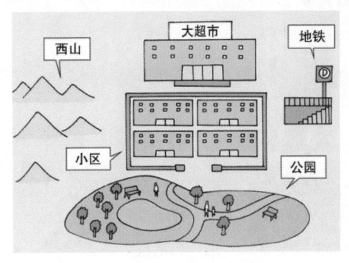

可以看到西山，风景很漂亮。我很满意，认为条件不错。虽然房租有点儿贵，但是我还是决定马上搬家。

Wǒ kànzhòng le yí tào fángzi. Zhè tào fángzi lí xuéxiào bú tài yuǎn, zài yí ge jūmín xiǎoqū li. Xiǎoqū de nánbian shì yí ge xiǎo gōngyuán, měi tiān yǒu hěn duō rén zài nàr sàn bù、xià qí. Běibian yǒu yí ge dà chāoshì, mǎi dōngxi hěn fāngbiàn. Dōngbian lí dìtiězhàn bù yuǎn. Xībian méiyǒu fángzi, yuǎnyuǎn de kěyǐ kàndào Xī Shān, fēngjǐng hěn piàoliang. Wǒ hěn mǎnyì, rènwéi tiáojiàn búcuò. Suīrán fángzū yǒudiǎnr guì, dànshì wǒ háishi juédìng mǎshàng bānjiā.

词语表　New Words and Expressions

1	劳驾	láo jià		excuse me
2	纸	zhǐ	n.	paper
3	箱子	xiāngzi	n.	box
4	按	àn	prep.	according to
5	不要	búyào	adv.	do not
6	顺序	shùnxù	n.	order, sequence
7	弄	nòng	v.	to do, to make
8	乱	luàn	adj.	in disorder
9	桌子	zhuōzi	n.	table
10	小心	xiǎoxīn	v.	to be careful
11	重	zhòng	adj.	heavy
12	碰	pèng	v.	to touch
13	辛苦	xīnkǔ	adj.	hard, laborious
14	保洁	bǎojié	v.	to clean
15	服务	fúwù	v.	to serve
16	姓名	xìngmíng	n.	full name
17	地址	dìzhǐ	n.	address
18	贵姓	guìxìng	n.	(Pol.) your surname
19	免贵	miǎn guì		Don't be too polite.
20	小区	xiǎoqū	n.	residential community
21	单元	dānyuán	n.	unit (*of house, text book, etc.*)
22	看中	kànzhòng		to take a fancy to
23	居民	jūmín	n.	resident, dweller
24	南边	nánbian	n.	southside
25	公园	gōngyuán	n.	park
26	下棋	xià qí		to play chess
27	满意	mǎnyì	adj.	satisfied
28	认为	rènwéi	v.	to consider

29 条件	tiáojiàn	n.	condition
30 虽然	suīrán	conj.	though, although
31 但是	dànshì	conj.	but

◉ 专有名词　Proper Nouns

| 1 华美小区 | Huáměi Xiǎoqū | Huamei Residential Community |
| 2 西山 | Xī Shān | West Mountain |

 **Language Points**

1 "把"字句（2）　把 sentence（2）

● 不要把顺序弄乱了。/别把手碰了。

▲ "把"字句中有否定词或助动词时，否定词或助动词应该放在"把"的前面。例如：

When there are negative words or auxiliary verbs in 把 sentences, they should be put before 把 . For example，

① 他今天没把作业做完。

② 别把电视摔坏了。

③ 你应该把药吃了再睡觉。

④ 我一定要把这件事告诉老师。

⑤ 你不能把孩子一个人留在家里。

2 虽然……但是……　Although...; ...but...

● 虽然房租有点儿贵，但是我还是决定马上搬家。

① 虽然我会说几句汉语，但是我的汉字还不行。

② 饺子虽然好吃，但是包起来太麻烦了。

③ 虽然天气不太好，但是他还是去跑步了。

课堂练习 Exercises in Class

一 语言点练习 Grammatical exercises

用"虽然……但是……"回答问题 Answer the questions with 虽然……但是……

（1）以前你说学习汉语很有意思，现在为什么不学习了？

（2）你说喜欢北京，为什么要回国？

（3）北京不是很漂亮吗？你为什么不喜欢住在这里？

（4）你喜欢吃饺子，但是为什么不常常包饺子吃呢？

（5）你说住在学校宿舍里没有机会练习汉语，为什么不搬出去呢？

（6）他都 16 岁了，怎么还让妈妈帮他洗衣服？

（7）你很累，为什么不休息？

（8）爬那么高的山很危险，你为什么还去爬呢？

二 任务型练习 Task-based exercises

1. 两人活动：学生两人一组，假设你们是朋友，你请朋友来帮助你搬家。搬家的时候，你们一边收拾东西，一边聊天儿。你告诉朋友东西放在什么地方，同时说说你为什么要搬家，搬家以后一个人住，怎么打扫卫生，等等。

　　Pair work：Two students are in a group. One student is helping his friend move. They are chatting and putting things in order. He tells his friend where to put things, why he decided to move, how he will clean his house , etc.

2. 两人活动：学生两人一组，一人扮演中介公司的工作人员，一人扮演租房人。两人一起谈谈租房的事情。

　　Pair work：Two students are in a group. One student plays the role of a person who is seeking a house. The other one plays the role of a person from the agency. They are talking about renting a house.

　　要求：根据课文的内容进行交谈。

　　You're required to make your conversation based on the text in this lesson.

3. 班级活动：学生分成两组，一组主张搬家请朋友帮忙，一组主张请搬家公司，分别说明理由。

　　Class work：One group claims that you should ask your friends to help you if you move to another place. While the other group claims that you should ask for help from the agency. Two groups state the reasons respectively.

要求：尽量使用本课所学生词。

You're requird to use the new words in this lesson.

三 扩展阅读 Extensive reading

玛丽最近在网上看到一个启事。上面说有人因为孩子出国留学了，家里房子比较多，想把房子租给留学生。玛丽看了以后很高兴，马上就给他打了电话。房东请玛丽到家里谈谈。玛丽按地址找到了他的家。这是一个漂亮的小区，有树、有草、有花，还有一条小河，环境很不错，玛丽很满意。另外，小区里有超市、餐馆、药店等，生活也很方便，就是离玛丽的学校比较远，骑车要三十多分钟。不过玛丽觉得虽然远一点儿，但是环境更重要，再说房租也不贵，她决定下个星期就搬家。

房东　fángdōng　n.　landlord or landlady

药店　yàodiàn　n. drugstore, chemist's shop

更　gèng　adv.　more

判断正误 True or false

（1）那家的人都出国留学了。

（2）玛丽自己找到了房东的家。

（3）这个小区的风景很好，但是生活不太方便。

（4）这个小区周围有车站、超市，还有药店，环境不错。

（5）这个小区离玛丽的学校比较远，坐车要三十分钟。

（6）因为房租很便宜，所以玛丽决定搬家。

Yì Fēng Xìn

一封信

刘老师：

您好!

您的信我收到了，但是因为忙，也因为我的汉语不好，过了这么久才给您写信，请您原谅。您一切都好吧?

转眼我到中国已经半年多了。去年9月刚来中国时，我听不懂也看不懂，也没有朋友，非常难过。现在我的汉语水平有了一定程度的提高，也交了不少朋友，不但有中国的，而且还有世界各地的，我们一起学习，互相帮助，每天都过得很开心。汉语学习也越来越有意思了。开始上课时，我不习惯老师说汉语，只能听懂百分之四五十，因为我没学过简化字，有很多不认识。但是我每天努力学习，不懂就问老师和同学，所以我的进步很快。现在我已经能用汉语进行一般的会话了，上课也能听懂四分之三了。最重要的是，我越来越喜欢汉语了，我想将来找一个和中国有关系的工作。

我现在的生活也基本没问题了。刚来时我不习惯吃中国菜，觉得油太多，也看不懂菜单，只好常常去吃麦当劳。现在我不但习惯了吃中餐，还会做几个地道的中国菜呢。等我回去以后一定做给你们吃。

我以前打算今年8月回国，但是我现在决定延长一年，到明年8

月再回国。在这一年里，我想多了解一点儿中国文化，多交一些朋友。

老师的工作顺利吗？祝您身体健康！

您的学生：玛丽

4月10日

Liú lǎoshī：

　　Nín hǎo!

　　Nín de xìn wǒ shōudào le, dànshì yīnwèi máng, yě yīnwèi wǒ de Hànyǔ bù hǎo, guò le zhème jiǔ cái gěi nín xiě xìn, qǐng nín yuánliàng. Nín yíqiè dōu hǎo ba?

　　Zhuǎnyǎn wǒ dào Zhōngguó yǐjīng bàn nián duō le. Qùnián jiǔyuè gāng lái Zhōngguó shí, wǒ tīng bu dǒng yě kàn bu dǒng, yě méiyǒu péngyou, fēicháng nánguò. Xiànzài wǒ de Hànyǔ shuǐpíng yǒu le yídìng chéngdù de tígāo, yě jiāo le bù shǎo péngyou, búdàn yǒu Zhōngguó de, érqiě hái yǒu shìjiè gè dì de, wǒmen yìqǐ xuéxí, hùxiāng bāngzhù, měi tiān dōu guò de hěn kāixīn. Hànyǔ xuéxí yě yuè lái yuè yǒu yìsi le. Kāishǐ shàngkè shí, wǒ bù xíguàn lǎoshī shuō Hànyǔ, zhǐ néng tīngdǒng bǎi fēnzhī sì- wǔshí, yīnwèi wǒ méi xué guo jiǎnhuàzì, yǒu hěn duō bú rènshi. Dànshì wǒ měi tiān nǔlì xuéxí, bù dǒng jiù wèn lǎoshī hé tóngxué, suǒyǐ wǒ de jìnbù hěn kuài. Xiànzài wǒ yǐjīng néng yòng Hànyǔ jìnxíng yìbān de huìhuà le, shàngkè yě néng tīngdǒng sì fēnzhī sān le. Zuì zhòngyào de shì, wǒ yuè lái yuè xǐhuan Hànyǔ le, wǒ xiǎng jiānglái zhǎo yí ge hé Zhōngguó yǒu guānxi de gōngzuò.

　　Wǒ xiànzài de shēnghuó yě jīběn méi wèntí le. Gāng lái shí wǒ bù xíguàn chī Zhōngguó cài, juéde yóu tài duō, yě kàn bu dǒng càidān, zhǐhǎo chángcháng qù chī Màidāngláo. Xiànzài wǒ búdàn xíguàn le chī zhōngcān, hái huì zuò jǐ ge dìdao de Zhōngguó cài ne. Děng wǒ huíqu yǐhòu yídìng zuò gěi nǐmen chī.

　　Wǒ yǐqián dǎsuàn jīnnián bāyuè huí guó, dànshì wǒ xiànzài juédìng yáncháng yì nián, dào míngnián bāyuè zài huí guó. Zài zhè yì nián li, wǒ xiǎng duō liǎojiě yìdiǎnr Zhōngguó wénhuà, duō jiāo yìxiē péngyou.

　　Lǎoshī de gōngzuò shùnlì ma? Zhù nín shēntǐ jiànkāng!

Nín de xuésheng：Mǎlì

sìyuè shí rì

New Words and Expressions

| 1 | 封 | fēng | mw. | *measure word (for letters)* |
| 2 | 信 | xìn | n. | letter |

3 收到	shōudào		to receive
4 原谅	yuánliàng	v.	to forgive, to pardon
5 一切	yíqiè	pron.	everything, all
6 转眼	zhuǎnyǎn	v.	in the blink of an eye
7 去年	qùnián	n.	last year
8 难过	nánguò	adj.	be sad, be bad or sorry
9 一定	yídìng	adj.	certain, fair
10 程度	chéngdù	n.	degree
11 提高	tígāo	v.	to raise, to improve
12 交	jiāo	v.	to make (friends) with
13 不但	búdàn	conj.	not only
14 而且	érqiě	conj.	but also
15 世界	shìjiè	n.	world
16 各	gè	pron.	various, each
17 互相	hùxiāng	adv.	each other
18 越来越	yuè lái yuè		more and more
19 ……分之……	……fēnzhī……		percent
20 过	guo	part.	*used after a verb to indicate a past action or state*
21 简化字	jiǎnhuàzì	n.	simplified Chinese characters
22 进行	jìnxíng	v.	to carry out, to carry on
23 会话	huìhuà	v.	to make a dialogue or conversation
24 将来	jiānglái	n.	future
25 基本	jīběn	adj.	basic, fundamental
26 菜单	càidān	n.	menu
27 中餐	zhōngcān	n.	Chinese food
28 地道	dìdao	adj.	genuine, authentic
29 今年	jīnnián	n.	this year
30 延长	yáncháng	v.	to prolong
31 明年	míngnián	n.	next year
32 了解	liǎojiě	v.	to comprehend, to understand

| 33 文化 | wénhuà | n. | culture |
| 34 健康 | jiànkāng | adj. | healthy |

语言点 Language Points

1 不但……而且…… Not only... but also...

● 不但有中国的，而且还有世界各地的。

（1）A 不但……，而且 / 也 / 还……

①她不但会唱中文歌，而且还会跳中国的民族舞。

②他不但是我的老师，（而且）也是我的朋友。

③他不但参加了比赛，（而且）还得了第一名。

（2）不但 A……，（而且）B 也……

④不但她会唱中文歌，（而且）玛丽也会唱中文歌。

⑤不但他参加了比赛，（而且）李军也参加了比赛。

⑥不但他是我的朋友，（而且）李军也是我的朋友。

2 越来越 + adj. / V More and more

● 汉语学习也越来越有意思了。

▲ 表示事物的程度随着时间的推移而变化。例如：

This expression is used to indicate that the degree is varied as time passes. For example,

①夏天快到了，天气越来越热了。

②到中国以后，我好像越来越胖了。

③我越来越喜欢打太极拳了。

④玛丽越来越习惯吃中国菜了。

3 小数、分数和百分数 Decimal number, fractional number and percentage

● 我不习惯老师说汉语，只能听懂百分之四五十。/ 上课也能听懂四分之三了。

数　字	汉字的写法	汉语的读法
0.8	零点八	líng diǎn bā
32.58	三十二点五八	sānshí'èr diǎn wǔ bā
2/3	三分之二	sān fēnzhī èr
4/5	五分之四	wǔ fēnzhī sì

| 6% | 百分之六 | bǎi fēnzhī liù |
| 70% | 百分之七十 | bǎi fēnzhī qīshí |

① 听中国人聊天儿，我只能听懂百分之二三十。

② 我们班三分之一的学生是男生。

③ 超市的东西比购物中心便宜五分之一。

4 V过

● 我没学过简化字，有很多不认识。

▲ 表示过去有某种经历。否定形式为"S＋没（有）＋V过＋O"。例如：

This phrase indicates the past experience. The negative form is "S＋没（有）＋V过＋O". For example,

① 我只吃过一次北京烤鸭，你呢？

　　→我没有吃过北京烤鸭。

② 那个地方我两年前去过，还不错。

　　→那个地方我没去过，不知道好不好。

③ 这一个月，你只上过两天班，老板（lǎobǎn, boss）很生气。

　　→这一个月，我没上过班，公司里的事我不知道。

④ 他最近身体不好，已经生过两次病了，应该锻炼身体了。

Exercises in Class

■ 语言点练习　Grammatical exercises

1. 用"不但……而且……"造句　Make sentences with 不但……而且……

　（1）他　　　　聪明　　　　努力

　（2）他　　　　他女朋友　　聪明　　努力

　（3）我们　　　喜欢唱歌　　跳舞

　（4）我们　　　他们　　　　喜欢唱歌

　（5）大卫　　　同学　　　　朋友

　（6）大卫　　　玛丽　　　　同学

　（7）大卫　　　会说汉语　　会说英语

（8）大卫　　　我们　　　　会说汉语

2. 用"越来越……"回答问题　Answer the questions with 越来越……

（1）你汉语学得怎么样了？

（2）听说你来中国后胖了，是真的吗？

（3）现在天气怎么样？

（4）你的两个孩子怎么样了？

（5）他病了很长时间，现在身体怎么样了？

（6）你跟同屋的关系怎么样了？

（7）你爸爸还那么喜欢喝酒吗？

（8）你喜欢吃中国菜了吗？

3. 读出下列数字　Read the numerals

| 1.25 | 78.3 | 1/6 | 2/7 | 25% | 74% |
| 3.1415 | 68.21 | 3/20 | 1/15 | 98% | 100% |

4. 用"V 过"回答问题　Answer the questions with "V 过"

（1）你遇到过有名的人吗？

（2）你看过中国小说吗？

（3）旅行的时候，你和不认识的人说过话吗？

（4）你包过饺子吗？

（5）你唱过中文歌吗？

二 任务型练习　Task-based exercises

1. 两人活动：两人一组，一人扮演玛丽，一人扮演玛丽的老师，玛丽给老师打电话，谈谈在中国的学习和生活。

Pair work：Two students are in a group. One student plays the role of Mary. The other one plays the role of Mary's teacher in America. They are chatting on phone about Mary's life and study in China.

要求：根据课文内容进行交谈。

You're required to make your conversation based on the text.

2. 小组活动：学生三四人一组，一人扮演记者，其他人扮演留学生。记者采访留学生，了解他们在中国的生活。

Group work：Three or four students are in a group. One student plays the role of a reporter. The other two or three students play the roles of foreign students. The reporter is trying to understand the foreign students' lives in China.

问题举例：

The reporter can ask questions such as the following：

（1）你刚来中国的时候有什么困难？

（2）你上课的时候怎么样？

（3）你觉得你的汉语进步了吗？

（4）你学习汉语时，最难的是什么？

（5）你生活上遇到过什么问题吗？

要求：尽量使用本课所学生词和语言点。

You're required to use the new words and the grammar points in this lesson.

大　卫：画家朋友，听说你在
美术比赛中得了第一
名。请给我们介绍
一下儿你是怎么成功
的，好吗？

画　家：怎么说呢？很多人以
为成功是很难的事
情，其实，只要坚持努力，理想就一定能实现。

大　卫：这话是什么意思呢？

画　家：我上初中的时候才开始喜欢画画儿。从那时候开始一直到高中
一年级，每天大概只用一个小时画画儿。

大　卫：那么，四年里，你画画儿的时间大概只有六十一天啊。高中二
年级以后，你没有再画吗？

画　家：高中二年级和三年级的时候，因为准备考大学，我暂时停止了
画画儿。上大学以后，才又重新拿起画笔。大学四年里，我每
天也只用一个小时画画儿。

大　卫：四年里，画画儿的时间大概也是六十一天。大学毕业以后呢？

画　家：大学毕业后，我当了三年大学老师。这三年里，我每天大概花三个小时画画儿。三年里，画画儿的时间大概是一百三十七天。

大　卫：后来呢？

画　家：后来我辞去了大学的工作，去全国各地游览了三年，每天用八个小时画画儿。三年里，画画儿的时间正好是三百六十五天。

大　卫：这三年，你画画儿的时间比较多。

画　家：是的。后来我回到北京，专门画了三年画儿，每天用十个小时画画儿。三年里，画画儿的时间大概是四百六十五天。然后，在这次比赛中，我得了这个大奖。

大　卫：从你小时候对画画儿产生兴趣，到得大奖，你花在画画儿上的时间是多少呢？我们算一下儿：六十一天加六十一天加一百三十七天加三百六十五天加四百六十五天，等于一千零八十九天。大概只有三年！

画　家：是啊，其他的时间，我都在做与画画儿无关的事。所以我说，成功不需要多少时间。你同意我的看法吗？

大　卫：你真棒！祝贺你。

（选自《读者》，作者：张小石）

Dàwèi：Huàjiā péngyou, tīngshuō nǐ zài měishù bǐsài zhōng dé le dì yī míng. Qǐng gěi wǒmen jièshào yíxiàr nǐ shì zěnme chénggōng de, hǎo ma?

Huàjiā：Zěnme shuō ne? Hěn duō rén yǐwéi chénggōng shì hěn nán de shìqing, qíshí, zhǐyào jiānchí nǔlì, lǐxiǎng jiù yídìng néng shíxiàn.

Dàwèi：Zhè huà shì shénme yìsi ne?

Huàjiā：Wǒ shàng chūzhōng de shíhou cái kāishǐ xǐhuan huà huàr. Cóng nà shíhou kāishǐ yìzhí dào gāozhōng yī niánjí, měi tiān dàgài zhǐ yòng yí ge xiǎoshí huà huàr.

Dàwèi：Nàme, sì nián li, nǐ huà huàr de shíjiān dàgài zhǐyǒu liùshíyī tiān a. Gāozhōng èr niánjí yǐhòu, nǐ méiyǒu zài huà ma?

Huàjiā: Gāozhōng èr niánjí hé sān niánjí de shíhou, yīnwèi zhǔnbèi kǎo dàxué, wǒ zànshí tíngzhǐ le huà huàr. Shàng dàxué yǐhòu, cái yòu chóngxīn náqi huàbǐ. Dàxué sì nián li, wǒ měi tiān yě zhǐ yòng yí ge xiǎoshí huà huàr.

Dàwèi: Sì nián li, huà huàr de shíjiān dàgài yě shì liùshíyī tiān. Dàxué bìyè yǐhòu ne?

Huàjiā: Dàxué bìyè hòu, wǒ dāng le sān nián dàxué lǎoshī. Zhè sān nián li, wǒ měi tiān dàgài huā sān ge xiǎoshí huà huàr. Sān nián li, huà huàr de shíjiān dàgài shì yìbǎi sānshíqī tiān.

Dàwèi: Hòulái ne?

Huàjiā: Hòulái wǒ cíqù le dàxué de gōngzuò, qù quán guó gè dì yóulǎn le sān nián, měi tiān yòng bā ge xiǎoshí huà huàr. Sān nián li, huà huàr de shíjiān zhènghǎo shì sānbǎi liùshíwǔ tiān.

Dàwèi: Zhè sān nián, nǐ huà huàr de shíjiān bǐjiào duō.

Huàjiā: Shì de. Hòulái wǒ huídào Běijīng, zhuānmén huà le sān nián huàr, měi tiān yòng shí ge xiǎoshí huà huàr. Sān nián li, huà huàr de shíjiān dàgài shì sìbǎi liùshíwǔ tiān. Ránhòu, zài zhè cì bǐsài zhōng, wǒ dé le zhège dà jiǎng.

Dàwèi: Cóng nǐ xiǎo shíhou duì huà huàr chǎnshēng xìngqù, dào dé dà jiǎng, nǐ huā zài huà huàr shang de shíjiān shì duōshao ne? Wǒmen suàn yíxiàr: liùshíyī tiān jiā liùshíyī tiān jiā yìbǎi sānshíqī tiān jiā sānbǎi liùshíwǔ tiān jiā sìbǎi liùshíwǔ tiān, děngyú yìqiān líng bāshíjiǔ tiān. Dàgài zhǐyǒu sān nián!

Huàjiā: Shì a, qítā de shíjiān, wǒ dōu zài zuò yǔ huà huàr wúguān de shì. Suǒyǐ wǒ shuō, chénggōng bù xūyào duōshao shíjiān. Nǐ tóngyì wǒ de kànfǎ ma?

Dàwèi: Nǐ zhēn bàng! Zhùhè nǐ.

词语表 New Words and Expressions

1	画家	huàjiā	n.	painter
2	美术	měishù	n.	art
3	得	dé	v.	to get, to obtain, to gain
4	成功	chénggōng	v.	to succeed
5	以为	yǐwéi	v.	to think, to believe, to consider
6	事情	shìqing	n.	affair, matter
7	其实	qíshí	adv.	in fact, actually
8	只要	zhǐyào	conj.	if only, so long as
9	坚持	jiānchí	v.	to insist
10	理想	lǐxiǎng	n.	ideal, hope for the future

11	实现	shíxiàn	v.	to accomplish
12	画	huà	v.	to draw (a picture)
13	高中	gāozhōng	n.	senior school
14	年级	niánjí	n.	grade
15	暂时	zànshí	adv.	temporarily, for the time being
16	停止	tíngzhǐ	v.	to stop
17	画笔	huàbǐ	n.	painting brush
18	当	dāng	v.	to work as
19	辞	cí	v.	to resign, to quit one's job
20	游览	yóulǎn	v.	to go sightseeing
21	正好	zhènghǎo	adv.	just right, just enough
22	专门	zhuānmén	adv.	especially
23	奖	jiǎng	n.	prize
24	小时候	xiǎoshíhou	n.	in one's childhood
25	产生	chǎnshēng	v.	to come into being
26	算	suàn	v.	to count
27	加	jiā	v.	to plus
28	等于	děngyú	v.	to be equal to
29	零	líng	num.	zero
30	其他	qítā	pron.	other
31	与……无关	yǔ……wúguān		to have nothing to do with
32	看法	kànfǎ	n.	point of view
33	祝贺	zhùhè	v.	to congratulate

语言点　Language Points

1 只要……就……　As long as...

● 只要坚持努力，理想就一定能实现。

▲ 表示在某条件下，必然会有某结果发生。例如：

This pattern is used to express that some result occurs under certain conditions. For example,

① 只要你同意，我就天天给你打电话。

② 只要天气好，我们就去爬山。

2 V去

● 后来我**辞去**了大学的工作。

▲ 表示受事因为动词所表示的动作而消失。例如：

This pattern is used to indicate that the object is disappeared due to the action. For example,

① 找工作、换工作**花去**了一年时间。

② 他**擦去**脸上的汗，继续向上爬。

3 常用结果补语小结（2） Summary of the common result complement（2）

● 后来我辞**去**了大学的工作。

完	听完	画完	做完	吃完	
见	看见	听见			
到	看到	听到	买到	找到	得到
着	找着	买着	点着	睡着	
去/掉	辞去	花去	擦去	洗去	脱去
懂	看懂	听懂			
走	飞走	偷走	借走	拿走	
成	变成	画成	切成	摆成	

Exercises in Class

一 课文练习 Text-based exercise

根据课文内容完成下面的表格 Fill in the forms based on the text in this lesson

时　间	每天画画儿的时间	总画画儿的时间
初中～高中一年级，四年	一小时	61 天
大学四年		
大学毕业当老师三年		
游览三年		
回到北京三年		
从开始画画儿到成功一共用了多长时间？		

二 语言点练习　Grammatical exercises

1. 用"只要……就……"造句　Make sentences with 只要……就……

（1）我有时间　　看你　　_____

（2）天气好　　　去跑步

（3）一喝酒　　　醉　　　_____

（4）一看书　　　头疼

（5）一看见我　　哭　　　_____

（6）你去　　　　我去

（7）他不来找我　我高兴　_____

（8）你给我加油　我赢

2. 选词填空　Fill in the blanks with the following words

> 完　见　到　着（zháo）去　走　成　懂

（1）对不起，我写错了，我把你的名字写（　　　）"西瓜"了。

（2）这个问题很简单，我一听就听（　　　）了。

（3）快点儿，写（　　　）作业我们去看电影。

（4）你看（　　　）了吗？他们的人比我们多多了。

（5）去旅行的人太多了，我们没买（　　　）卧铺票。

（6）你睡（　　　）了吗？

（7）我不记得谁把我的书借（　　　）了。

（8）你为什么要辞（　　　）那么好的工作？

三 任务型练习　Task-based exercises

1. 小组活动：学生两三个人一组，一人扮演画家，其他人扮演画家的朋友。在庆祝聚会上，画家和朋友聊天儿，谈自己的经历。

　　Group work：Two or three students are in a group. One student plays the role of the painter. The other plays the role of his friend. They are talking about the experience of the painter in a celebration.

2. 小组活动：学生三四人一组，谈谈画家说的"成功不需要很多时间"的观点。你同意这个观点吗？要成功，你觉得最重要的是什么？

Group work：Three or four students are in a group. The opinion of the painter is "it doesn't take a long time to succeed". Do you agree with him? What do you think is most important if you want to make success?

四 扩展阅读　Extensive reading

鼠宝宝学外语

鼠妈妈一下子生了八个鼠宝宝，老大叫阿大，老二叫阿二，老三叫阿三，这样一个一个排下去，最后一个老小就叫阿八。鼠妈妈想让八个宝宝都成为最聪明的老鼠，所以，一生下来就教它们说话。

"吱吱吱！吱吱吱！"不到一天，孩子们就全学会了。

鼠妈妈高兴得不得了，对八个宝宝说："从明天起，妈妈教你们学外语。"

"什么叫外语啊？"阿大问。

"外语嘛，就是别的动物说的话。"

阿八说："我是老鼠，只要会吱吱叫就行了，我不想说外语。"

"学了外语对我们有好处，妈妈要让你们成为最聪明的老鼠，所以你们必须学！"妈妈说。

学外语真难啊！累死人了！真没意思！鼠宝宝们一个一个地睡着了。

鼠妈妈没办法，只好说："我们先去找吃的，吃饱了再来学外语。"

看，一块巧克力！鼠宝宝们跟着妈妈跑了过去。

"喵——"忽然，一只大花猫出现了，"你们跑不了啦！"

鼠宝宝都吓呆了。这时，鼠妈妈说："孩子们，快说狗的外语。"

鼠宝宝们马上一起叫起来："汪汪汪！汪汪汪！"声音比在家练习的时候大多了。

大花猫糊涂了。这是什么动物呢？没等大花猫想明白，鼠妈妈早带着孩子们跑远了。

鼠	shǔ	n.	rat
排	pái	v.	to arrange (a sequence)
吱	zhī	ono.	squeak
必须	bìxū	adv.	must
喵	miāo	ono.	mew
出现	chūxiàn	v.	to appear
吓	xià	v.	to frighten
呆	dāi	adj.	dumb
糊涂	hútu	adj.	confused

　　鼠宝宝们回到洞里，一齐说："学外语真好！学外语真好啊！"

（选自《鼠宝宝学外语》，作者：胡莲娟）

洞	dòng	n.	hole, cavity
一齐	yìqí	adv.	simultaneously

回答问题　Answer the questions

你为什么要学习汉语？你觉得怎么才能学好汉语？

Qǐng Shāo Děng
请 稍 等

对不起，先生，扎啤没有了。

　　有位先生利用假期出去玩儿了一趟，回来后，他跟一位朋友讲了这样一件事：

　　有一天，他出去玩儿，走了一上午，又累又渴。这时，他看见一家饭店，门口立着一块大牌子："服务周到，经济实惠。"他就走了进去，想在那儿吃午饭。饭店里边人很少，点着蜡烛，很安静，看起来挺不错的。他脱下外衣，挂在门边，然后找了一个座位坐下来。

　　很快，一个服务员走了过来："欢迎光临！先生，您需要点儿什么？"

　　他说："先给我来一杯扎啤吧。"

　　"好的，请稍等。"

　　过了一会儿，服务员回来了："对不起，先生，扎啤没有了。"他心想，可能自己没点菜，人家不太高兴。他又说："那么，请给我上个汤，肉丝汤。""好的，请稍等。"

　　又过了一会儿，服务员回来了："对不起，先生，肉丝汤没有了。"

　　"那么，给我上个炸牛排、炸羊排或者炸猪排吧。""好的，请稍等。"

　　过了一会儿，服务员又回来了："非常对不起，先生，炸牛排、炸羊排、炸猪排都没有了。"

　　他终于忍不住生气了，说："好吧，我不吃了。请把我的外衣拿过来。"

　　"好的，请稍等。"

　　这次，服务员很快就回来了："真是不好意思，先生，您的外衣也没有了。"

　　朋友问他那家饭店的名字，他一笑，说："就叫'没有了'。"

Yǒu wèi xiānsheng lìyòng jiàqī chūqu wánr le yí tàng , huílai hòu, tā gēn yí wèi péngyou jiǎng le zhèyàng yí jiàn shì:

Yǒu yì tiān, tā chūqu wánr, zǒu le yí shàngwǔ, yòu lèi yòu kě, zhè shí, tā kànjian yì jiā fàndiàn, ménkǒu lì zhe yí kuài dà páizi: "Fúwù zhōudào, jīngjì shíhuì." Tā jiù zǒu le jinqu, xiǎng zài nàr chī wǔfàn. Fàndiàn lǐbian rén hěn shǎo, diǎn zhe làzhú, hěn ānjìng, kàn qilai tǐng búcuò de. Tā tuōxia wàiyī, guà zài mén biān, ránhòu zhǎo le yí ge zuòwèi zuò xialai.

Hěn kuài, yí ge fúwùyuán zǒu le guolai: "Huānyíng guānglín! Xiānsheng, nín xūyào diǎnr shénme?"

Tā shuō: "Xiān gěi wǒ lái yì bēi zhāpí ba."

"Hǎo de, qǐng shāo děng."

Guò le yíhuìr, fúwùyuán huílai le: "Duìbuqǐ, xiānsheng, zhāpí méiyǒu le." Tā xīn xiǎng, kěnéng zìjǐ méi diǎn cài, rénjia bú tài gāoxìng. Tā yòu shuō: "Nàme, qǐng gěi wǒ shàng ge tāng, ròusītāng." "Hǎo de, qǐng shāo děng."

Yòu guò le yíhuìr, fúwùyuán huílai le: "Duìbuqǐ, xiānsheng, ròusītāng méiyǒu le."

"Nàme, gěi wǒ shàng ge zhá niúpái、zhá yángpái huòzhě zhá zhūpái ba." "Hǎo de, qǐng shāo děng."

Guò le yíhuìr, fúwùyuán yòu huílai le: "Fēicháng duìbuqǐ, xiānsheng, zhá niúpái、zhá yángpái、zhá zhūpái dōu méiyǒu le."

Tā zhōngyú rěn bu zhù shēngqì le, shuō : "Hǎo ba, wǒ bù chī le. Qǐng bǎ wǒ de wàiyī ná guolai."

"Hǎo de, qǐng shāo děng."

Zhè cì, fúwùyuán hěn kuài jiù huílai le: "Zhēn shì bù hǎoyìsi, xiānsheng, nín de wàiyī yě méiyǒu le."

Péngyou wèn tā nà jiā fàndiàn de míngzi, tā yí xiào, shuō: "Jiù jiào 'méiyǒu le'."

New Words and Expressions

1 利用	lìyòng	v.	to make use of
2 讲	jiǎng	v.	to tell
3 饭店	fàndiàn	n.	restaurant
4 立	lì	v.	to erect
5 块	kuài	mw.	*measure word*, piece
6 牌子	páizi	n.	sign
7 周到	zhōudào	adj.	considerate
8 经济	jīngjì	adj.	economical
9 实惠	shíhuì	adj.	substantial
10 午饭	wǔfàn	n.	lunch
11 里边	lǐbian	n.	inside
12 蜡烛	làzhú	n.	candle
13 安静	ānjìng	adj.	quiet
14 外衣	wàiyī	n.	coat
15 边	biān	n.	side
16 座位	zuòwèi	n.	seat
17 过来	guòlai	v.	to come over
18 光临	guānglín	v.	(Pol.) to honour sb. with presence
19 扎啤	zhāpí	n.	draught beer
20 稍等	shāo děng		to wait a minute
21 心	xīn	n.	heart
22 人家	rénjia	pron.	others
23 上	shàng	v.	to serve
24 汤	tāng	n.	soup
25 肉	ròu	n.	meat
26 丝	sī	n.	thread-like thing, shred
27 炸	zhá	v.	to deep fry
28 牛排	niúpái	n.	steak

牛	niú	n.	cattle
29 羊排	yángpái	n.	mutton chop
羊	yáng	n.	sheep, goat
30 猪排	zhūpái	n.	pork chop
猪	zhū	n.	pig
31 忍不住	rěn bu zhù		cannot help
忍	rěn	v.	to bear

 **Language Points**

单元语言点小结　Summary of Language Points

语言点	例句	课号
1. 就是	"北大" 就是北京大学。/ 这个菜很好吃，就是太辣了。	11
2. 又……又……	他长得又高又大，他的女朋友又聪明又漂亮。	11
3. "把" 字句（1）	你把鸡蛋打到这个碗里。/ 请把西红柿炒熟。	11
4. V 起来	出国留学的手续说起来简单，其实办起来很麻烦。	11
5. "把" 字句（2）	别把电视摔坏了。	12
6. 虽然……但是……	饺子虽然好吃，但是包起来太麻烦了。	12
7. 不但……而且……	她不但会唱中文歌，而且会跳中国的民族舞。	13
8. 越来越 +adj. / V	夏天快到了，天气越来越热了。	13
9. 小数、分数和百分数	听中国人聊天儿，我只能听懂百分之二三十。	13
10. V 过	我只吃过一次北京烤鸭，你呢？	13
11. 只要……就……	只要你同意，我就天天给你打电话。	14
12. V 去	他擦去脸上的汗。	14
13. 常用结果补语小结（2）	后来我辞去了大学的工作。	14

 **Exercises in Class**

一　语言点练习　Grammatical exercises

根据课文内容，填出补语　Fill in the complements based on the text in this lesson

（1）他看＿＿＿＿＿了一家饭店，就走了＿＿＿＿＿。

（2）那家饭店看＿＿＿＿＿挺不错的。

（3）他脱＿＿＿＿＿外衣，挂在门边，然后找了个座位坐＿＿＿＿＿。

（4）很快，一个服务员走了＿＿＿＿＿。

（5）我不吃了，请把我的外衣拿＿＿＿＿＿。

二　任务型练习　Task-based exercises

1. 两人活动：两人一组，一人扮演课文中的那位先生，另一人扮演服务员。

   Pair work：Two students are in a group. One student plays the role of the man in the text. The other one plays the role of the attendant.

2. 两人活动：两人一组，一人扮演课文中的那位先生，另一人扮演他的朋友或者妻子，他向朋友或妻子讲述自己遇到的事情。

   Pair work：One student plays the role of the man in the text. The other one plays the role of his friend or his wife. They are talking about the story in the restaurant.

3. 两人活动：两人是好朋友，其中一人打算跟自己的女（男）朋友分手，可是拿不定主意，跟另一人商量。

   Pair work：One student is planning to depart with his girlfriend or her boyfriend, but he/she can't make the final decision. So he/she is discussing with his/her best friend.

   要求：使用本单元的语言点。

   You're requird to use the language points in this unit.

三　扩展阅读　Extensive reading

中国的"吃"

张红：玛丽，你来中国已经半年多了，过得开心吗？

玛丽：当然开心啦。我交了不少朋友，汉语水平也
　　　有了很大的提高。而且，中国饭很好吃，饺子、

面条儿、火锅、西红柿炒鸡蛋、牛排、肉丝汤……我都喜欢吃。

张红：是吗？那你一定了解中国的"吃文化"了？

玛丽：知道一点儿。

张红：那我问你一个问题，考考你，好吗？

玛丽：好，你问吧。

张红：中国人在吃的方面有三个特点，你知道吗？

玛丽：这个——我不知道，你给我讲讲吧。

张红：第一，中国人什么都敢吃；第二，能吃的不敢吃；第三，不能吃的却敢吃。

| 敢 | gǎn | aux. | dare |

玛丽：什么叫"什么都敢吃"？

张红：有句话说：靠山吃山，靠水吃水。你看，山都能吃，还有什么不能吃呢？

| 靠 | kào | v. | to keep to, to get near |

玛丽：有意思。那什么叫"能吃的不敢吃"呢？

张红：鸭蛋，能吃吗？

| 鸭蛋 | yādàn | n. | duck's egg |

玛丽：当然能吃了，我很喜欢吃咸鸭蛋。

张红：你考试的时候吃个大鸭蛋，怎么样？

玛丽：不行，不行。那我可不敢吃。

张红：你吃醋吗？

玛丽：吃——哎呀！不行，不行，不能吃醋。

张红：我说的没错吧，能吃的不敢吃！

玛丽：那什么是"不能吃的却敢吃"？

张红：你现在吃我一拳，怎么样？

| 拳 | quán | n. | fist |

玛丽：吃你一拳？没问题，你的劲儿那么小，吃你一拳也没关系。

张红：哈哈，拳头不能吃，但你吃了吧？

玛丽：真有意思，看起来，不但中国饭又好吃又好看，而且关于吃的词语还真不少呢！

你知道这些句子的意思吗？　Do you know the meaning of the following sentences?

（1）靠山吃山，靠水吃水。

（2）这次考试，他吃了个大鸭蛋。

（3）我不吃你的醋，你放心。

（4）吃你一拳也没关系。

一个朋友对我说过一句话，给我留下了深刻的印象。她说："有些人吃香蕉总是从尾巴开始剥，有些人总是从细头儿开始剥，差别很大。"她的话给了我很大的启发。

如果已经是一种习惯，一个人就很难改变他剥香蕉的方式。

一个戒烟的人，他戒了一天烟，难受极了，他想：我才戒了一天烟，就这么难。天哪，如果我还能活1万天的话，就还要受9999天的罪，算了吧！他戒烟失败。但是，如果换个想法：我第一天戒烟就成功了，真不错！如果我还能活1万天的话，坚持下去，后面的9999天就从成功开始，多好！这样，他就能慢慢地把烟戒掉了。

其实，这里有一个最简单的道理：遇到任何事情，我们都可以试试换个角度去想。很多事情不是必须那么做，或者必须这么做的。

香蕉，当然是可以从两头儿吃的！

（选自《读者》，作者：叶延滨）

Yí ge péngyou duì wǒ shuō guo yí jù huà, gěi wǒ liúxia le shēnkè de yìnxiàng. Tā shuō："Yǒuxiē rén chī xiāngjiāo zǒngshì cóng wěiba kāishǐ bāo, yǒuxiē rén zǒngshì cóng xì tóur kāishǐ bāo, chābié hěn dà." Tā de huà gěi le wǒ hěn dà de qǐfā.

Rúguǒ yǐjīng shì yì zhǒng xíguàn, yí ge rén jiù hěn nán gǎibiàn tā bāo xiāngjiāo de fāngshì.

Yí ge jiè yān de rén, tā jiè le yì tiān yān, nánshòu jí le.Tā xiǎng: Wǒ cái jiè le yì tiān yān, jiù zhème nán. Tiān na, rúguǒ wǒ hái néng huó yíwàn tiān dehuà, jiù hái yào shòu jiǔqiān jiǔbǎi jiǔshíjiǔ tiān de zuì, suàn le ba! Tā jiè yān shībài. Dànshì, rúguǒ huàn ge xiǎngfǎ: Wǒ dì yī tiān jiè yān jiù chénggōng le, zhēn búcuò! Rúguǒ wǒ hái néng huó yíwàn tiān dehuà, jiānchí xiaqu, hòumian de jiǔqiān jiǔbǎi jiǔshíjiǔ tiān jiù cóng chénggōng kāishǐ, duō hǎo! Tā jiù néng mànmàn de bǎ yān jièdiào.

Qíshí, zhèli yǒu yí ge zuì jiǎndān de dàoli: yùdào rènhé shìqing, wǒmen dōu kěyǐ shìshi huàn ge jiǎodù qù xiǎng. Hěn duō shìqing bú shì bìxū nàme zuò, huòzhě bìxū zhème zuò de.

Xiāngjiāo, dāngrán shì kěyǐ cóng liǎng tóur chī de!

词语表　New Words and Expressions

1	句	jù	mw.	*measure word (used of language)*
2	留下	liúxia		to leave behind
3	深刻	shēnkè	adj.	deep
4	印象	yìnxiàng	n.	impression
5	香蕉	xiāngjiāo	n.	banana
6	总是	zǒngshì	adv.	always
7	尾巴	wěiba	n.	tail, end
8	剥	bāo	v.	to peel, to shell
9	细	xì	adj.	thin, slender
10	头儿	tóur	n.	top, tip
11	差别	chābié	n.	difference, disparity
12	启发	qǐfā	v.	to enlighten
13	改变	gǎibiàn	v.	to change
14	方式	fāngshì	n.	way, fashion
15	戒烟	jiè yān		to quit smoking
16	难受	nánshòu	adj.	be unwell

17	活	huó	v.	to live
18	万	wàn	num.	ten thousand
19	受罪	shòu zuì		to endure hardship, torture, etc.
20	算了	suàn le		to forget it, to let it be
21	失败	shībài	v.	to fail, to be defeated, to lose (*a war, a game, etc.*)
22	想法	xiǎngfǎ	n.	idea
23	道理	dàoli	n.	reason
24	任何	rènhé	pron.	any
25	角度	jiǎodù	n.	angle
26	必须	bìxū	adv.	must

 Language Points

1 才（2）

● 我才戒了一天烟，就这么难。

▲ "才"用在数量词前面的时候，表示在说话人看来，时间还早或数量很少。例如：

When used before a quantifier, 才 indicates that it's still early or it's few in number on the speaker's opinion. For example，

① 现在才十点，看一会儿电视再睡吧。

② 才听了十五分钟，就头疼了。怎么办？明天有听力考试！

③ 这件衣服才 200 块，太便宜了。

④ 你怎么才吃了一个包子？太少了吧！

2 V下去

● 坚持下去，后面的 9999 天就从成功开始。

▲ 表示继续进行某行为或保持某种状态。例如：

It indicates the action or status continues. For example，

① 别停，说下去。

② 你不要再玩儿下去了，马上就要考试啦！

③ 我头疼得厉害，真的学不下去了，我们出去玩儿会儿吧。

3 百以上的称数法（千、万） Numerals above hundred

1080	一千零八十
9873	九千八百七十三
1,2465	一万两千四百六十五
324,0000	三百二十四万
4,0790	四万零七百九十

 **Exercises in Class**

一 语言点练习 Grammatical exercises

1. 读出下列数字 Read the following numerals

1949　2008　4,5798　3,0912　48,0005　960,0000

2. 用"才"·回答问题 Answer the questions with 才

（1）他很能喝酒吗？（不太能喝　喝　一瓶啤酒）

（2）我们出去玩儿一会儿吧。（再做一会儿吧　工作　一个小时）

（3）他的汉语这么好，一定学了很长时间吧？（没有　学　半年）

（4）该起床了。（再睡一会儿　现在　6点）

（5）你吃饱了吗？（还没有　吃　一碗米饭）

二 任务型练习 Task-based exercises

1. 两人活动：学生两人一组，一人正在戒烟，感到痛苦；另一人劝他坚持。

Pair work：Two students are in a group. One student is tryting to give up smoking and he feels much suffering. The other student, his friend, is advising him to keep on.

2. 辩论：

Debate：

话题：要不要戒烟

Topic：Smoking，quit or not?

要求：尽量使用下面的生词和语言点：

You're required to use the following words and language points:

V 过　……极了　才　V 下去　V 掉　如果……的话，就……

三 扩展阅读　Extensive reading

核桃和莲子

一位老教授在上他的最后一节课。快下课的时候，他拿出一个大杯子和一些核桃、莲子，对大家说："今天我们做一个实验。这个实验的结果可以告诉大家一个道理。"

他先在杯子里装满核桃，然后问："杯子满了吗？"

学生们回答："满了。"然后，教授又把莲子装进杯子。他问："你们能从这个实验中得到什么启发？"

学生们都不说话。

最后教授说："想想看，如果我们先用莲子把杯子装满，还能再装核桃吗？人生中有很多事情，有的是小事，有的是大事。如果我们花很多时间去做那些小事，就没有时间做那些真正对自己重要的事情了。我希望大家记住这个实验，如果莲子先装满了，就装不下核桃了。"

节	jié	mw.　*measure word (for class)*
核桃	hétao	n.　walnut
莲子	liánzǐ	n.　lotus seed
实验	shíyàn	n.　experiment
装	zhuāng	v.　to fill, to load, to pack
人生	rénshēng	n.　life
真正	zhēnzhèng	adv.　truely, really

回答问题　Answer the questions

老教授要告诉学生的道理是什么？你同意吗？

李军的日记

Lǐ Jūn de Rìjì

2012 年 7 月 13 日　星期五　小雨

　　五年前的暑假，我高中毕业了。那时候，我们同学约好，五年后的暑假一起回母校聚会。

　　这五年里，我们大家虽然也经常联系，但是除了发发电子邮件、打打电话，从来也没有见过面。所以，能够聚一聚，我们都非常高兴。离聚会的时间还差一个多月，我们就在网上讨论聚会的计划和安排了。最后，我们决定在 7 月 11 日——就是五年前我们离开学校的日子，大家一起回母校。

　　说实话，没见面以前，我有些担心：已经五年没见面了，大家一定有很多变化，如果找不到共同的话题，该怎么办？但是，没想到，大家见面后，不但不觉得陌生，而且似乎比五年前还亲热，问好、握手，一下子就回到了过去。第一天的晚上，我们一边喝酒，一边回忆做过的坏事、傻事，痛痛快快地一直聊到天亮。

　　两天的时间很快就过去了。我们在宿舍楼、教室、操场、食堂、图书馆、体育馆，每一个曾经去过的地方，都照了相、合了影，作为留念。

　　这真是一次愉快的聚会！

èr líng yī èr nián qīyuè shísān rì   xīngqīwǔ   xiǎo yǔ

Wǔ nián qián de shǔjià, wǒ gāozhōng bìyè le. Nà shíhou, wǒmen tóngxué yuēhǎo, wǔ nián hòu de shǔjià yìqǐ huí mǔxiào jùhuì.

Zhè wǔ nián li, wǒmen dàjiā suīrán yě jīngcháng liánxì, dànshì chúle fāfa diànzǐ yóujiàn, dǎda diànhuà, cónglái yě méiyǒu jiàn guo miàn. Suǒyǐ, nénggòu jù yi jù, wǒmen dōu fēicháng gāoxìng. Lí jùhuì de shíjiān hái chà yí ge duō yuè, wǒmen jiù zài wǎngshang tǎolùn jùhuì de jìhuà hé ānpái le. Zuìhòu, wǒmen juédìng zài qīyuè shíyī rì —— jiù shì wǔ nián qián wǒmen líkāi xuéxiào de rìzi, dàjiā yìqǐ huí mǔxiào.

Shuō shíhuà, méi jiànmiàn yǐqián, wǒ yǒuxiē dānxīn: yǐjīng wǔ nián méi jiànmiàn le, dàjiā yídìng yǒu hěn duō biànhuà, rúguǒ zhǎo bu dào gòngtóng de huàtí, gāi zěnme bàn? Dànshì, méi xiǎngdào, dàjiā jiànmiàn hòu, búdàn bù juéde mòshēng, érqiě sìhū bǐ wǔ nián qián hái qīnrè, wènhǎo, wò shǒu, yíxiàzi jiù huídào le guòqù. Dì yī tiān de wǎnshang, wǒmen yìbiān hē jiǔ, yìbiān huíyì zuò guo de huàishì, shǎshì, tòngtongkuàikuài de yìzhí liáodào tiānliàng.

Liǎng tiān de shíjiān hěn kuài jiù guòqu le. Wǒmen zài sùshèlóu, jiàoshì, cāochǎng, shítáng, túshūguǎn, tǐyùguǎn, měi yí ge céngjīng qù guo de dìfang, dōu zhào le xiàng, hé le yǐng, zuòwéi liúniàn.

Zhè zhēn shì yí cì yúkuài de jùhuì!

词语表 New Words and Expressions

1 暑假	shǔjià	n.	summer vacation
2 约	yuē	v.	to make an appointment
3 母校	mǔxiào	n.	Alma Mater
4 除了	chúle	prep.	except, besides
5 从来	cónglái	adv.	always, at all times
6 能够	nénggòu	aux.	can
7 聚	jù	v.	to get together
8 讨论	tǎolùn	v.	to discuss
9 离开	líkāi	v.	to leave
10 日子	rìzi	n.	day, date
11 实话	shíhuà	n.	truth
12 变化	biànhuà	n.	change

13	共同	gòngtóng	adj.	common
14	话题	huàtí	n.	topic
15	陌生	mòshēng	adj.	strange
16	似乎	sìhū	adv.	It seems...
17	亲热	qīnrè	adj.	intimate, affectionate
18	问好	wèn hǎo		to say hello to
19	握手	wò shǒu		to shake one's hand
20	一边	yìbiān	adv.	at the same time, simultaneously
21	回忆	huíyì	v.	to recall
22	坏事	huàishì	n.	something bad
23	傻	shǎ	adj.	foolish
24	痛快	tòngkuai	adj.	to one's heart's content
25	聊	liáo	v.	to chat
26	天亮	tiān liàng		dawn, day break
27	体育馆	tǐyùguǎn	n.	gymnasium
28	曾经	céngjīng	adv.	once, ever
29	照相	zhào xiàng		to take pictures
30	合影	hé yǐng		to take a group photo
31	作为	zuòwéi	prep.	as
32	留念	liúniàn	v.	to keep as a memento
33	愉快	yúkuài	adj.	happy, joyful, cheerful

 Language Points

1 除了……（以外）

● 但是除了发发电子邮件、打打电话，从来也没有见过面。

（1）除了……（以外），……也/还……（Besides）

①除了他（以外），安娜也喜欢吃中国菜。

②除了中国菜（以外），我还喜欢吃泰国菜。

③除了星期天以外，星期二我也常常打篮球。

（2）除了……（以外），……都……（Except）

　　④除了他（以外），我们都喜欢吃中国菜。

　　⑤除了香菜（xiāngcài，coriander）（以外），别的菜我都喜欢吃。

　　⑥除了星期天（以外），其他时间我都要学习。

2 一边……一边……

● 我们一边喝酒，一边回忆做过的坏事、傻事。

▲ 用来表示两个动作同时进行。例如：

This expression is used to indicate that two actions are doing simultaneously. For example,

　　①他们一边走，一边聊天儿。

　　②不要一边吃饭一边说话。

　　③一边看电视一边吃饭，这个习惯好不好？

3 真是 + 一 + mw. + n.

● 这真是一次愉快的聚会！

▲ 表示感叹。例如：

This expression is used to indicate an exclamation. For example,

　　①今天真是一个好天气！

　　②真是一个不错的机会！

　　③真是一个奇怪的人！一直都不说话。

4 感叹表达小结　Summary of expressions for exclamation

真是 + 一 + mw. + n.	真是一个好孩子！
真 + adj.（+ 啊）	真冷啊！
太 + adj. + 了	太棒了！
好 + adj.（+ 啊）	好辣啊！
（S+）多 + adj. + 啊	你看，长城多伟大啊！

课堂练习　　Exercises in Class

一 语言点练习　Grammatical exercises

用"除了……也 / 都……"回答问题　Answer the questions with 除了……也 / 都……

（1）你会说汉语，还会说别的外语吗？

（2）你喜欢唱歌，还喜欢做什么？

（3）你们班只有你会说法语吗？

（4）在中国，只有北京人喜欢吃烤鸭吗？

（5）学校附近的那家饭店不错，别的饭店怎么样？

（6）西红柿炒鸡蛋很好吃，还有什么菜好吃？

（7）我们只能在超市里买橘子吗？

（8）请问，只能在这里抽烟吗？

（9）你只在星期六锻炼身体吗？

（10）放假了，我听说只能上午去图书馆了，是吗？

二 任务型练习　Task-based exercises

1. 小组活动：学生两三人一组，策划同学聚会。要包括下面几方面的内容：

　Pair work：Two or three students are in a group. They are planning to organize a classmate reunion.

　　　　　　And the following things should be mentioned：

　① 期待在母校相聚（the expectation to meet old classmates in Alma Mater）

　② 担心重聚的可能性（the worry about the possibility of the reunion）

　③ 策划聚会的节目安排（the arrangement of the party programs）

　④ 确定聚会的时间、地点及联系方式（the details such as time, venue, contact information and so on）

2. 两人活动：学生两人一组，谈谈自己的习惯。

　Pair work：Two students are in a group, talking about their habbits.

　要求：使用下面的语言点：

　You're required to use the following language points:

　除了　一边……一边……　曾经　真是……　不但不……而且……　从来

3. 采访活动：一个人做记者，采访其他同学。

　Interview：One student plays the role of a reporter, and makes an interview.

（1）在中学或大学里，你觉得最美好的回忆是什么？

What is your best memory of your high school or university life?

（2）在互联网上，你们有没有校友录？请谈谈你对校友录的看法。

Do you have an alumni on the internet? What is your opinion about the alumni?

三 扩展阅读　Extensive reading

载过她的自行车

　　我有个网友，讲过一个故事。她工作多年，有一天下班回家，突然遇到一个中学同学。两个老同学虽然很久没有见面了，但是觉得很亲切。当时，男孩骑着自行车。他突然说："我载你回家吧。"女孩说："好啊。"女孩坐在车后座上，手轻轻地扶着男孩的腰，看着他吃力地骑上一个坡，不好意思地说："我比以前重了。"男孩笑笑说："没事儿，我载得动。"

　　就这样，男孩把女孩送到了家，两人互相说了声"晚安"。那是个初春的夜晚，虽然还挺冷的，但是女孩的心里却暖暖的，有点儿不一样。

　　今年夏天，我回到了分别十年的大学校园，发现操场、教室楼都重新修过了，有些东西不见了，有些东西出现了，但是，唯一不变的是校园里的很多女孩仍然坐在自行车的后座上。

　　夜深人静的时候，我们都会偶尔深深地怀念一段时光，当我们从年轻走向成熟，那些故事也在心里，像美酒一样。

（选自《读者》，作者：于小葱）

载　zài　v. to carry (passengers)
扶　fú　v. to place a hand on (sb. or sth.) for support
腰　yāo　n. waist
吃力　chīlì　adj. strenuous, painstaking
坡　pō　n. slope

分别　fēnbié　v. to part, to leave each other
唯一　wéiyī　adj. only

怀念　huáiniàn　v. to cherish memory of

判断正误　True or false

（1）两个人见面的时候，天气挺暖和的。　　　▢

（2）两个人是在校园里见面的。　　　▢

（3）男孩以前用自行车载过女孩。　　　▢

18

Wǒ Kàn guo Jīngjù
我看过京剧

昨天晚上，我去看了一场京剧。演员的表演很精彩，可是一句台词我也没听明白，演出的内容是什么，我完全不知道。

一年以前，我曾经看过一场京剧，当时，我也什么都没听懂。但是，我可以原谅自己，因为那时候我刚开始学习汉语，知道的词很少，而且听力也不太好，和老师、辅导聊天儿的时候，也经常听不懂。

现在我学汉语一年多了，词汇量增加了很多，已经可以用汉语进行一般的会话，可以看懂电视节目，听懂新闻广播了。我一直很满意，以为自己的汉语已经取得了很大的进步，可是为什么看京剧时还是一句也听不懂呢？难道我的汉语水平还是那么差吗？

今天正在苦恼的时候，] 我的一个中国朋友来玩儿。她告诉我说，京剧的台词不是用现代普通话唱的，大部分中国人也听不懂。

原来是这样！看起来，虽然对中国的政治、经济、教育和社会情况，我比较了解，但是我对京剧艺术等中国文化方面的知识，还是了解得太少了。

Zuótiān wǎnshang, wǒ qù kàn le yì chǎng jīngjù. Yǎnyuán de biǎoyǎn hěn jīngcǎi, kěshì yí jù táicí wǒ yě méi tīng míngbai, yǎnchū de nèiróng shì shénme, wǒ wánquán bù zhīdào.

Yì nián yǐqián, wǒ céngjīng kàn guo yì chǎng jīngjù, dāngshí, wǒ yě shénme dōu méi tīngdǒng. Dànshì, wǒ kěyǐ yuánliàng zìjǐ, yīnwèi nà shíhou wǒ gāng kāishǐ xuéxí Hànyǔ, zhīdào de cí hěn shǎo, érqiě tīnglì yě bú tài hǎo, hé lǎoshī、fǔdǎo liáotiānr de shíhou, yě jīngcháng tīng bu dǒng.

Xiànzài wǒ xué Hànyǔ yì nián duō le, cíhuìliàng zēngjiā le hěn duō, yǐjīng kěyǐ yòng Hànyǔ jìnxíng yìbān de huìhuà, kěyǐ kàndǒng diànshì jiémù, tīngdǒng xīnwén guǎngbō le. Wǒ yìzhí hěn mǎnyì, yǐwéi zìjǐ de Hànyǔ yǐjīng qǔdé le hěn dà de jìnbù, kěshì wèi shénme kàn jīngjù shí háishi yí jù yě tīng bu dǒng ne? Nándào wǒ de Hànyǔ shuǐpíng háishi nàme chà ma?

Jīntiān zhèngzài kǔnǎo de shíhou, wǒ de yí ge Zhōngguó péngyou lái wánr. Tā gàosu wǒ shuō, jīngjù de táicí bú shì yòng xiàndài pǔtōnghuà chàng de, dà bùfen Zhōngguórén yě tīng bu dǒng.

Yuánlái shì zhèyàng! Kàn qilai, suīrán duì Zhōngguó de zhèngzhì、jīngjì、jiàoyù hé shèhuì qíngkuàng, wǒ bǐjiào liǎojiě, dànshì wǒ duì jīngjù yìshù děng Zhōngguó wénhuà fāngmiàn de zhīshi, háishi liǎojiě de tài shǎo le.

词语表 New Words and Expressions

1	京剧	jīngjù	n.	Peking Opera
2	演员	yǎnyuán	n.	actor
3	台词	táicí	n.	actor's lines
4	演出	yǎnchū	v.	to perform
5	内容	nèiróng	n.	content
6	完全	wánquán	adv.	completely
7	当时	dāngshí	n.	at that time
8	听力	tīnglì	n.	listening comprehension
9	辅导	fǔdǎo	v.	to coach, to tutor
10	词汇	cíhuì	n.	vocabulary
11	量	liàng	n.	quantity
12	增加	zēngjiā	v.	to increase, to raise
13	新闻	xīnwén	n.	news
14	广播	guǎngbō	n.	broadcast
15	取得	qǔdé	v.	to achieve, to gain

16	难道	nándào	adv.	*used to reinforce a rhetorical question*
17	差	chà	adj.	inferior
18	苦恼	kǔnǎo	adj.	vexed, worried
19	普通话	pǔtōnghuà	n.	mandarin
20	政治	zhèngzhì	n.	politics
21	教育	jiàoyù	n.	education
22	社会	shèhuì	n.	society
23	情况	qíngkuàng	n.	situation
24	艺术	yìshù	n.	art
25	等	děng	part.	and so on, etc.
26	知识	zhīshi	n.	knowledge

Language Points

1 强调否定　Emphasize the negation

● 可是一句台词我也没听明白。

（1）一 + mw. + n. + 也不 / 没 + V

　　① 我一个字也不认识，怎么办？

　　② 听说那个地方不太好，我一次也没去过。

　　③ 他们在说什么？我一点儿也听不懂。

（2）一点儿也不 + adj.

　　④ 这个问题一点儿也不难。

　　⑤ 老同学见面一点儿也不陌生。

　　⑥ 这个菜一点儿也不辣，你吃吧。

（3）哪儿 / 谁 / 什么……+ 也不 / 没 + V

　　⑦ 我哪儿也不去，就在学校里学习。

　　⑧ 今天我不太开心，觉得哪儿也没有意思。

　　⑨ 刚来中国的时候，我谁也不认识。

　　⑩ 谁也不帮我，怎么办？

　　⑪ 他病了，什么也不想吃。

2 难道

● 难道我的汉语水平还是那么差吗?

▲ 用于反问句中加强反问语气。例如:

This word is used to reinforce a rhetorical question. For example,

① A:你会说英语,是吧?

　　B:对不起,我不会说。

　　A:怎么? 难道你不是美国人吗?

② A:这是什么字?

　　B:这不是"人"字吗? 我们昨天刚学的,难道你今天就忘了吗?

 Exercises in Class

一 语言点练习　Grammatical exercises

用"难道……吗?"翻译下面的句子

Translate the sentences into Chinese with 难道……吗?

（1）Why did you forget my birthday? Don't you love me?

（2）What? You can't understand English? Aren't you from America?

（3）I feel so weired. Doesn't he know her?

（4）Why are you so sleepy? Didn't you rest well yesterday?

（5）Why did you eat so little? Don't you like Chinese food?

（6）What? You don't want to go there with me? Do you dislike me?

（7）You want to go to bed now? Are you very tired?

（8）Why can't I use this computer? Is it yours?

二 任务型练习　Task-based exercises

1. 两人活动：学生两人一组，一人扮演"我"，一人扮演"我"的中国朋友。朋友来"我"的房间，两人一起谈看京剧的事情。

　　Pair work：Two students are in a group. One student plays the role in the text. The other one plays the role of his/her Chinese friend. They're talking about his/her experience of watching Peking Opera last night.

2. 两人活动：学生两人一组，表演吵架（如：兄弟／姐妹／父母孩子／同屋／撞车的人）。

　　Pair work：Two students are in a group, playing the roles of brothers, or sisiters, or parent and child, or roommates, or people involved in a traffic accident. They are quarreling.

要求：使用下面的语言形式：

You're required to use the following language points：

一＋mw.＋n.＋也不／没＋V　　哪儿／谁／什么……＋也不／没＋V　　难道　　并且

三 扩展阅读　Extensive reading

请　客

　　说话是一种艺术，有的人说出来的话让人高兴，有的人说出来的话能气死人。我有个朋友就不怎么会说话。

　　一天，他在饭店请客，一共请了四位客人，有三位早早地就到了，还有一位一直没来。等了一会儿，他有点儿着急了，就说："你看，该来的不来。"坐在他旁边的一位客人听了觉得不舒服，心想："该来的不来"，那我是不该来的了？他站起来说："对不起，我出去方便一下儿。"走到门口，他对服务员说："一会儿你告诉他们，不用等我了。"

　　过了一会儿，服务员走过来问："先生，您点的菜准备好了，现在上菜吗？"

　　"先别上，我们还在等人呢。"

　　服务员说："那位先生说别等他了，他走了。"

　　我朋友一听就更着急了，说："不该走的怎么走了！"

　　另一位客人听了又很不高兴："不该走的走了"，我这个该走的还没走？好，我现在就走。他一句话也没说就走出了饭店。

　　我朋友问："他们怎么都走了？"

　　最后一位客人说："您不是说'该来的不来、不该走的又走了'吗？他们觉得自己不该留在这儿，所以都走了。您啊，以后说话一定要注意点儿。"

　　"哦——"我朋友想了想，说，"可是，我说的不是他们啊！"

　　"啊？您说的是我啊！"最后一位客人也被气走了。

回答问题　Answer the questions

（1）客人为什么都走了？

（2）你觉得这个主人说话有问题吗？

（3）在生活中，你遇到过不会说话的人吗？如果遇到过，跟同学们讲一讲吧。

Rúguǒ   Yǒu Yì Tiān

如果有一天……

如果有一天，你发现母亲的厨房不再像以前那么干净了；如果有一天，你发现母亲做的菜太咸太难吃；如果有一天，你发现父亲看电视看着看着睡着了；如果有一天，你发现父母不再爱吃脆脆的蔬菜水果了；如果有一

天，你发现父母喜欢喝稀饭了；如果有一天，你发现他们反应慢了；如果有一天，你发现吃饭的时候他们总是咳嗽……

如果有这么一天，我要告诉你：你的父母真的已经老了，需要别人照顾了。

每个人都会老。父母比我们先老，我们应该照顾他们，关心他们。他们可能会很多事都做不好，如果房间有味儿，可能他们自己也闻不到，请千万不要嫌他们脏或嫌他们臭。他们不再爱洗澡的时候，请一定抽空儿帮他们洗洗身体，因为他们自己可能洗不干净；我们在享受食物的时候，请给他们准备一小碗容易吃的，因为有些东西他们不爱吃可能是因为牙齿咬不动了。

从我们出生开始，父母就在不停地忙碌，教我们生活的基本能力，把人生的经验告诉我们，还让我们读书学习……所以，如果有一天，他们真的动不了了，我们要记住，看父母就是看自己的未来。如果有一天，你像他们一样老时，你希望怎么过？

Rúguǒ yǒu yì tiān, nǐ fāxiàn māma de chúfáng bú zài xiàng yǐqián nàme gānjìng le; rúguǒ yǒu yì tiān, nǐ fāxiàn mǔqin zuò de cài tài xián tài nánchī; rúguǒ yǒu yì tiān, nǐ fāxiàn fùqin kàn diànshì kàn zhe kàn zhe shuìzháo le; rúguǒ yǒu yì tiān, nǐ fāxiàn fùmǔ bú zài ài chī cuìcuì de shūcài shuǐguǒ le; rúguǒ yǒu yì tiān, nǐ fāxiàn fùmǔ xǐhuan hē xīfàn le; rúguǒ yǒu yì tiān, nǐ fāxiàn tāmen fǎnyìng màn le; rúguǒ yǒu yì tiān, nǐ fāxiàn chī fàn de shíhou tāmen zǒngshì késou……

Rúguǒ yǒu zhème yì tiān, wǒ yào gàosu nǐ: nǐ de fùmǔ zhēn de yǐjīng lǎo le, xūyào biéren zhàogù le.

Měi ge rén dōu huì lǎo. Fùmǔ bǐ wǒmen xiān lǎo, wǒmen yīnggāi zhàogù tāmen, guānxīn tāmen. Tāmen kěnéng huì hěn duō shì dōu zuò bu hǎo, rúguǒ fángjiān yǒu wèir, kěnéng tāmen zìjǐ yě wén bu dào, qǐng qiānwàn búyào xián tāmen zāng huò xián tāmen chòu. Tāmen bú zài ài xǐzǎo de shíhou, qǐng yídìng chōukòngr bāng tāmen xǐxi shēntǐ, yīnwèi tāmen zìjǐ kěnéng xǐ bu gānjìng; wǒmen zài xiǎngshòu shíwù de shíhou, qǐng gěi tāmen zhǔnbèi yì xiǎo wǎn róngyì chī de, yīnwèi tāmen bú ài chī kěnéng shì yīnwèi yáchǐ yǎo bu dòng le.

Cóng wǒmen chūshēng kāishǐ, fùmǔ jiù zài bù tíng de mánglù, jiāo wǒmen shēnghuó de jīběn nénglì, bǎ rénshēng de jīngyàn gàosu wǒmen, hái ràng wǒmen dúshū xuéxí…… Suǒyǐ, rúguǒ yǒu yì tiān, tāmen zhēn de dòng bu liǎo le, wǒmen yào jìzhù, kàn fùmǔ jiù shì kàn zìjǐ de wèilái. Rúguǒ yǒu yì tiān, nǐ xiàng tāmen yíyàng lǎo shí, nǐ xīwàng zěnme guò?

词语表 New Words and Expressions

1	难吃	nánchī	adj.	tasteless
2	脆	cuì	adj.	crisp
3	稀饭	xīfàn	n.	porridge
4	反应	fǎnyìng	n.	reaction
5	老	lǎo	adj.	old
6	别人	biéren	pron.	others
7	照顾	zhàogù	v.	to take care of
8	关心	guānxīn	v.	to be concerned about
9	有味儿	yǒu wèir		to smell bad

味儿	wèir	n.	smell, odour
10 千万	qiānwàn	adv.	by all means, absolutely
11 嫌	xián	v.	to dislike, to complain of, to mind
12 臭	chòu	adj.	foul, stinking
13 抽空儿	chōu kòngr		to manage to find time
14 享受	xiǎngshòu	v.	to enjoy
15 爱	ài	v.	to love, to like
16 牙齿	yáchǐ	n.	tooth
17 咬	yǎo	v.	to bite
18 动	dòng	v.	to move
19 出生	chūshēng	v.	to be born
20 忙碌	mánglù	adj.	busy
21 能力	nénglì	n.	ability
22 人生	rénshēng	n.	life
23 经验	jīngyàn	n.	experience
24 读书	dú shū		to read, to attend a school
25 了	liǎo	v.	*used in conjunction with* 得 / 不 *after a verb*
26 未来	wèilái	n.	future

 Language Points

1 不再　Not do sth. any longer

● 如果有一天，你发现母亲的厨房不再像以前那么干净了……

① 我吃饱了，不再吃了，你自己吃吧。

② 我不再喜欢你了，你别来找我了。

③ 医生说他的身体非常不好，他决定不再喝酒了。

2 V₁着V₁着 V₂

● 如果有一天，你发现父亲看电视看着看着睡着了……

▲ 表示一个动作在进行时，另一个动作出现了。例如：

This pattern is used to indicate that an action occurs while another action is in progression. For example,

① 他看电视看着看着睡着了，是电视太无聊，还是他太累了？

② 她们两个人说着说着就哭了，怎么回事？

③ 我们一边走一边聊，聊着聊着就爬到了山上，一点儿没觉得累。

3 V不了/V得了

● 如果有一天，他们真的动不了了……

▲ 表示可能或不可能做某事。例如：

This pattern is used to indicate it's possible or impossible to do something. For example,

① 这个菜太辣了，我吃不了，你吃吧。

　→ 我吃得了辣的，没关系。

② 我工作太忙，照顾不了孩子。

　→ 你工作那么忙，照顾得了孩子吗？

③ 这个太难了，我翻译不了。

　→ 这个太难了，你翻译得了吗？

4 祈使表达小结　Summary of imperative expressions

1.（你）应该 V	你应该照顾他们。
2.（你）要 V	一个人在国外，要小心啊。
3.（你）得 V	你得早点儿起床。
4.（你）别 V	别告诉别人，这是秘密（mìmì, secret）。
5.（请你）（千万/一定）不要 V	请一定抽空儿给他们洗洗身体。 请千万不要嫌他脏。
6. 少 V	少说这种话！
7. Clause + 吧	我们走吧。

5 时态小结("了、着、过、呢、正、在")　Summary of tense and aspect markers

	位置	意义	例句
了	句中	一个动作在另一个动作前发生 One action takes place before another one.	① 以前我常常吃了晚饭去散步，现在我常常吃了晚饭去图书馆。 ② 明天我吃了早饭去找你。
		用于过去发生的事，表完成 Something has been completed in the past.	① 我买了一本书。 ② 我看见了他。 ③ 昨天他丢了钱包，很不开心。
	句末	事态发生变化，对另外的事态有影响 A situation has changed and has an impact on another situation.	① 他去图书馆了，不在宿舍。 ② 以前他不喜欢学汉语，现在喜欢（学汉语）了。 ③ 他胖了，不太好看了。
		事态将发生变化 A situation will be changed.	① 如果你不去，我也不去了。 ② 明年9月，我就22岁了。
过		经历 Past experience	两年前，我看过京剧。
在		进行 An action is in progress.	我在听音乐。
正在		进行 An action is just in progress.	他来的时候，我正在看电视。
（正）在……呢		进行 An action is in progress.	我（正）在学习呢，不能帮你做饭。
着		状态持续 Sustained state	① 他穿着一件红毛衣。 ② 墙上贴着一张画儿。 ③ 他喜欢看着电视吃饭。 ④ 他看着看着睡着了。 ⑤ 外面下着雨呢。

　**Exercises in Class**　

一　语言点练习　Grammatical exercises

1. 用"V不了"回答问题　Answer the questions with "V不了"

（1）今天我们去吃四川菜，怎么样？你能吃辣的吗？

（2）明天晚上我们有一个晚会，你也来吧。

（3）你帮我洗洗这件毛衣，好吗？

（4）你现在为什么不上网了？（眼睛不舒服）

（5）我们买十瓶啤酒，够吗？

（6）我们四个人点八个菜，行吗？

2. 用 "V₁着V₁着V₂" 完成对话　Complete the dialoguses with "V₁着V₁着V₂"

（1）A：她是个很容易感动的人，是吗？

　　　B：是啊，看小说的时候，_____。

（2）A：你昨天很累吗？为什么_____？

　　　B：是啊，太累了。

（3）A：听说你很喜欢在睡觉以前听英语，为什么？

　　　B：因为听英语的时候_____，对睡觉很有帮助啊。

（4）A：奶奶的狗死了，她很难过，你千万别和她说狗的事儿。

　　　B：为什么？

　　　A：因为_____。

（5）A：她一定收到男朋友的信了。

　　　B：你怎么知道？

　　　A：你看，她看信的时候，_____。

3. 用 "不再" 造句　Make sentences with 不再

（1）got sick　　　smoke

（2）fell in love with other person　　love me

（3）he apologized　　she was not angry

（4）quit job　　　come to the company

（5）too busy recently　　come to study in the evening

4. 翻译下面的句子（注意 "了、过、在、着" 的用法）

　　　Translate the sentences into Chinese. Please notice the usage of 了，过，在 and 着

（1）I went to visit one of my friends yesterday.

（2）Let's go to visit him after finishing lunch, shall we?

（3）He just travelled back from France, and he bought a lot of things.

（4）Recently he travelled a lot, so he became thin.

（5）He went on business trip, please call him next week.

（6）I didn't go back to Alma Mater. How about the get-together party?

（7）He has been to a lot of places in Europe, but he has never been to America.

（8）They are dicussing the plan for summer holiday.

（9）When I saw them, they are taking pictures.

（10）I like to do homework listening to music.

（11）It is snowing outside, let's go out for fun.

二 任务型练习 Task-based exercises

1. 两人活动：学生两人一组，假设是兄弟姐妹的关系，谈谈父母最近的变化。

Pair work：Two students in a group play the roles of brothers or sisters. They are talking about their parents' recent changes.

2. 小组活动：学生三人一组，一人扮演医生，一人扮演老人，一人扮演老人的儿子或女儿。儿子或女儿向医生叙述自己的父亲（或母亲）近来的情况，如看电视睡着了，反应很慢，不吃水果，等等。老人配合说出自己的感受，医生提供建议。

Group work：Three students are in a group. One student plays the role of a doctor. One student plays the role of an old man/woman. One student plays the role of the old man/woman's son or daughter. The child tells the doctor about his/her parent's recent conditions, like falling asleep while wathing TV, slow reaction, disliking eating fruits, etc. The old man/woman tells his/her feelings too. The doctor gives suggestions.

要求：尽量使用课文里的词语和句子。

You're required to try to use the words and sentences in the text.

3.两人活动：学生两人一组，假设是夫妻关系，两人一起商量请老人帮忙照顾孩子的事。

Pair work：Two students in a group play the roles of a couple. They want to ask their parents for help to take care of their child.

要求：使用下面的语言形式：

You're required to use the following language points：

会　V不了　着　不再　千万

三 扩展阅读　Extensive reading

爸爸的心情

爸爸是家庭里遮风挡雨的人。

爸爸的爱好是看报纸。

四十岁以前的爸爸是运动员，上班、下班，像一阵风，我们总是赶不上他。

六十岁以后的爸爸是一把椅子，他一回家，就坐着不动了。

只有当中二十年的爸爸正好，他会带我们去玩儿，还会讲故事给我们听。

爸爸说："你们一出生，我就失去了宁静。"

所有的爸爸都怕吵。大概爸爸做孩子的时候，都是顽皮少年，所以等到他当了爸爸，就老是希望孩子们早点儿上床。

如果爸爸不生气，我们全家就有一个好天气。

爸爸的口头语是："等一下儿再说。"

老了的爸爸就像一根草，可是在女儿心中，这根草曾经是一堵墙。

爸爸的梦想是做一片云，或者就像海鸥，可以在天空自由地飞。

当我们长大，爸爸就变成了一个老人。

当白发和皱纹成为爸爸的亲密老友时，我也看到了将来的我。

（选自《读者》，作者：隐地）

遮	zhē	v. to keep out, to shelter from
挡	dǎng	v. to shield from
赶不上	gǎn bu shàng	can't catch up with
失去	shīqù	v. to lose
宁静	níngjìng	adj. peaceful, calm
吵	chǎo	adj. noisy
顽皮	wánpí	adj. naughty
口头语	kǒutóuyǔ	n. speech mannerism
海鸥	hǎi'ōu	n. seagull
皱纹	zhòuwén	n. wrinkle

回答问题　Answer the questions

（1）爸爸四十岁以前是运动员吗？

（2）为什么说六十岁以后的爸爸是一把椅子？

（3）你喜欢自己的爸爸吗？为什么？

女士，好咖啡总是放在热怀子里的！

有一年寒假，我和爱人去欧洲旅行，经过罗马的时候，一位朋友带我们去喝咖啡。

那是一个美丽的清晨。我们跟着他穿过一条小路，石块儿拼成的街道非常美丽，走久了，会让人忘记目的地，以为自己是出来踏石块儿的。忽然，一阵咖啡的香味儿飘过来，不用朋友说，就知道咖啡店到了。

咖啡店不是很大，但是客人不少，三三两两地坐在桌子旁边，一边喝着咖啡，一边聊着天儿。

我们也在一张桌子旁边坐下来，服务员给我们拿来小白瓷杯，白瓷厚厚的。我捧在手里，忍不住惊讶地说："咦，这杯子还是热的呢！"

服务员转过身来，笑着说："女士，好咖啡总是放在热杯子里的！"

是的，好咖啡应该放在热杯子里，凉杯子会把咖啡变凉，香味儿也会淡一些。其实，好茶好酒不也都是这样吗？不知道那端咖啡的服务员要告诉我什么。我愿自己也是香香的咖啡，认真、仔细地放在一个洁白温暖的厚瓷杯里，带动一个美丽的清晨。

Yǒu yì nián hánjià, wǒ hé àiren qù Ōuzhōu lǚxíng, jīngguò Luómǎ de shíhou, yí wèi péngyou dài wǒmen qù hē kāfēi.

Nà shì yí ge měilì de qīngchén. Wǒmen gēn zhe tā chuānguò yì tiáo xiǎolù, shíkuàir pīnchéng de jiēdào fēicháng měilì, zǒu jiǔ le, huì ràng rén wàngjì mùdìdì, yǐwéi zìjǐ shì chūlai tà shíkuàir de. Hūrán, yí zhèn kāfēi de xiāngwèir piāo guolai, búyòng péngyou shuō, jiù zhīdào kāfēidiàn dào le.

Kāfēidiàn bú shì hěn dà, dànshì kèren bù shǎo, sānsānliǎngliǎng de zuò zài zhuōzi pángbiān, yìbiān hē zhe kāfēi, yìbiān liáo zhe tiānr.

Wǒmen yě zài yì zhāng zhuōzi pángbiān zuò xialai, fúwùyuán gěi wǒmen nálai xiǎo bái cíbēi, bái cí hòuhòu de. Wǒ pěng zài shǒu li, rěn bu zhù jīngyà de shuō: "Yí, zhè bēizi hái shì rè de ne!"

Fúwùyuán zhuǎnguò shēn lai, xiào zhe shuō: "Nǚshì, hǎo kāfēi zǒngshì fàng zài rè bēizi li de!"

Shì de, hǎo kāfēi yīnggāi fàng zài rè bēizi li, liáng bēizi huì bǎ kāfēi biàn liáng, xiāngwèir yě huì dàn yìxiē. Qíshí, hǎo chá hǎo jiǔ bù yě dōu shì zhèyàng ma? Bù zhīdào nà duān kāfēi de fúwùyuán yào gàosu wǒ shénme. Wǒ yuàn zìjǐ yě shì xiāngxiāng de kāfēi, rènzhēn, zǐxì de fàng zài yí ge jiébái wēnnuǎn de hòu cíbēi li, dàidòng yí ge měilì de qīngchén.

New Words and Expressions

词语表

1 寒假	hánjià	n.	winter holiday
2 爱人	àiren	n.	husband or wife
3 经过	jīngguò	v.	to pass
4 美丽	měilì	adj.	beautiful
5 清晨	qīngchén	n.	early morning
6 跟	gēn	v.	to follow
7 穿过	chuānguò	v.	to go through
8 石块儿	shíkuàir	n.	stone
9 拼	pīn	v.	to piece together
10 街道	jiēdào	n.	street
11 目的地	mùdìdì	n.	destination
12 踏	tà	v.	to tread, to stamp
13 忽然	hūrán	adv.	suddenly
14 阵	zhèn	mw.	measure word (for sth. that happens abruptly and lasts a short time)

15 飘	piāo	v.	to blow, to drift about
16 三三两两	sānsānliǎngliǎng		in or by twos and threes
17 瓷	cí	n.	china, porcelain
18 厚	hòu	adj.	thick
19 捧	pěng	v.	to clasp, to hold in both hands
20 惊讶	jīngyà	adj.	amazed, astounded
21 咦	yí	interj.	well, why (*expressing surprise*)
22 转身	zhuǎn shēn		to turn round
23 凉	liáng	adj.	cool
24 淡	dàn	adj.	light
25 端	duān	v.	to hold sth. level
26 愿	yuàn	v.	to wish
27 认真	rènzhēn	adj.	serious, earnest, conscientious
28 仔细	zǐxì	adj.	careful
29 洁白	jiébái	adj.	pure white
30 温暖	wēnnuǎn	adj.	warm
31 带动	dàidòng	v.	to drive, to spur on

◎ 专有名词　Proper Nouns

| 1 欧洲 | Ōuzhōu | Europe |
| 2 罗马 | Luómǎ | Roma |

 **Language Points**

单元语言点小结　Summary of Language Points

语言点	例句	课号
1. 才（2）	现在才十点，看一会儿电视再睡吧。	16
2. V 下去	别停，说下去。	16

语言点	例句	课号
3. 百以上的称数法（千、万）	一千零八十 / 四万零七百九十	16
4. 除了……（以外）	除了中国菜以外，我还喜欢吃泰国菜。/ 除了香菜以外，别的菜我都喜欢吃。	17
5. 一边……一边……	他们一边走，一边聊天儿。	17
6. 真是 + 一 +mw. + n.	今天真是一个好天气！	17
7. 强调否定： （1）一 + mw. + n. + 也不 / 没 + V （2）一点儿也不 + adj. （3）哪儿 / 谁 / 什么…… + 也不 / 没 + V	我一个字也不认识，怎么办？ 他一点儿也不冷。 他病了，什么也不想吃。	18
8. 难道	怎么？难道你不是美国人吗？	18
9. 不再	我以前抽得太多了，现在不再抽了。	19
10. V₁ 着 V₁ 着 V₂	他看电视看着看着睡着了。	19
11. V 不了 / V 得了	这个菜太辣了，我吃不了。	19
12. 祈使表达小结	你应该照顾他们。	19

 **Exercises in Class**

一 任务型练习 Task-based exercises

1. 小组活动：学生三人一组，分别扮演"我"、朋友和服务员，表演本课的故事。

Pair work：Three students are in a group. One student plays the role of the waiter in the Café in Rome. The other two students play the roles of good friends. They act out the story in the text.

2. 两人活动：学生两人一组，谈谈喝咖啡。

Pair work：Two students are in a group talking about drinking coffee.

要求：使用下面的语言形式：

You're required to use the following language points：

过　着　一边……一边……　除了……以外　V 得了　adj. + 极了　难道

二 扩展阅读　Extensive reading

坏脾气的男孩儿

从前，有一个男孩，他很容易生气，常常大发脾气，所以一个朋友也没有。有一天，他的爸爸给了他一袋钉子，告诉他，每次发脾气或者跟人吵架的时候，就在墙上钉一根钉子。第一天，男孩惊讶地发现，他钉了三十七根钉子！后面的几天，他努力控制自己的脾气，结果，每天钉的钉子越来越少了。他发现，控制自己的脾气比钉钉子容易多了。终于有一天，他一根钉子都没有钉，他高兴地把这件事告诉了爸爸。

爸爸说："从今天开始，如果你一天都没有发脾气，就可以在这天拔掉一根钉子。"日子一天一天过去，最后，钉子全都拔完了。爸爸带他来到墙边，对他说："儿子，你做得很好！可是，看看墙上的钉子洞，这些洞永远留在这里了。你和一个人吵架，说了些难听的话，就在他心里留下了一个伤口，像这个钉子洞一样。"

发脾气　fā píqi　to lose one's temper

吵架　chǎo jià　to quarrel

控制　kòngzhì　v.　to control

拔　bá　v.　to pull out

伤口　shāngkǒu　n.　wound

回答问题　Answer the questions

（1）看完这个故事，你有什么想法？

（2）你有没有发完脾气以后非常后悔的时候？把你的故事写下来。

我的老家是河北省的一个小城。二十七岁以前，姐姐没有去过河北省以外的地方。那时候，姐姐的假期很少，只有春节才能连着休息六七天。可是，春节是全家团圆的日子，她哪儿也不能去。

要是能有一个长假期，我一定要跑遍中国。

1997 年，我大学毕业，留在北京一家公司当推销员，能够全国各地到处跑，姐姐很羡慕："我上学的时候没有钱，工作以后又没有时间。要是能有一个长假期，我一定要跑遍中国。"

没想到，姐姐的这个愿望很快就实现了。1999 年，政府开始实行"黄金周"休假制度：每年的春节、"五一"和"十一"，全国放假三天，加上周末，有整整一周的时间！对辛苦工作的人来说，有这么一个长长的假期，真是太难得了。

黄金周还没到，姐姐就开始做旅行的准备工作，一方面决定去什么地方，另一方面再联系好旅行社，只等休假开始，马上就出发。几年过去，姐姐已经去过了很多地方：去海边晒过太阳，去草原骑过大马，看过黄河，游过长江……

"外面的世界真精彩！"每次旅行回来，姐姐都会开心地说这么一句。

现在她已经制订了一个大计划：一个省一个省地看，一个地方一个地方地走，直到走遍中国，老得走不动了才停。

我的姐姐，一个普通的青年人，因为有这样一个长假期，生活变得越来越丰富。我愿她身体健康，跑遍中国以后，再去外国看一看。

Wǒ de lǎojiā shì Héběi Shěng de yí ge xiǎo chéng. Èrshíqī suì yǐqián, jiějie méiyǒu qù guo Héběi Shěng yǐwài de dìfang. Nà shíhou, jiějie de jiàqī hěn shǎo, zhǐyǒu Chūn Jié cái néng liánzhe xiūxi liù-qī tiān. Kěshì, Chūn Jié shì quánjiā tuányuán de rìzi, tā nǎr yě bù néng qù.

Yī jiǔ jiǔ qī nián, wǒ dàxué bìyè, liú zài Běijīng yì jiā gōngsī dāng tuīxiāoyuán, nénggòu quán guó gè dì dàochù pǎo, jiějie hěn xiànmù: "Wǒ shàng xué de shíhou méiyǒu qián, gōngzuò yǐhòu yòu méiyǒu shíjiān. Yàoshi néng yǒu yí ge cháng jiàqī, wǒ yídìng yào pǎobiàn Zhōngguó."

Méi xiǎngdào, jiějie de zhège yuànwàng hěn kuài jiù shíxiàn le. Yī jiǔ jiǔ jiǔ nián, zhèngfǔ kāishǐ shíxíng "huángjīnzhōu" xiūjià zhìdù: měi nián de Chūn Jié、"Wǔ-Yī" hé "Shí-Yī", quán guó fàng jià sān tiān, jiāshang zhōumò, yǒu zhěngzhěng yì zhōu de shíjiān! Duì xīnkǔ gōngzuò de rén lái shuō, yǒu zhème yí ge chángcháng de jiàqī, zhēn shì tài nándé le.

Huángjīnzhōu hái méi dào, jiějie jiù kāishǐ zuò lǚxíng de zhǔnbèi gōngzuò, yì fāngmiàn juédìng qù shénme dìfang, lìng yì fāngmiàn zài liánxì hǎo lǚxíngshè, zhǐ děng xiūjià kāishǐ, mǎshàng jiù chūfā. Jǐ nián guòqu, jiějie yǐjīng qù guo le hěn duō dìfang: qù hǎibiān shài guo tàiyang, qù cǎoyuán qí guo dà mǎ, kàn guo Huáng Hé, yóu guo Cháng Jiāng……

"Wàimian de shìjiè zhēn jīngcǎi!" Měi cì lǚxíng huílai, jiějie dōu huì kāixīn de shuō zhème yí jù.

Xiànzài tā yǐjīng zhìdìng le yí ge dà jìhuà: yí ge shěng yí ge shěng de kàn, yí ge dìfang yí ge dìfang de zǒu, zhídào zǒubiàn Zhōngguó, lǎo de zǒu bu dòng le cái tíng.

Wǒ de jiějie, yí ge pǔtōng de qīngniánrén, yīnwèi yǒu zhèyàng yí ge cháng jiàqī, shēnghuó biàn de yuè lái yuè fēngfù. Wǒ yuàn tā shēntǐ jiànkāng, pǎobiàn Zhōngguó yǐhòu, zài qù wàiguó kàn yi kàn.

词语表　New Words and Expressions

1 老家	lǎojiā	n.	hometown
2 城	chéng	n.	city

3	以外	yǐwài	n.	beyond, outside
4	只有……才……	zhǐyǒu……cái……		only if
5	连着	liánzhe	adv.	continuously, in succession
6	团圆	tuányuán	v.	to gather together once more after a separation, to reunion
7	推销员	tuīxiāoyuán	n.	salesman
8	羡慕	xiànmù	v.	to envy, to admire
9	遍	biàn	v.	all over
10	愿望	yuànwàng	n.	wish, desire
11	政府	zhèngfǔ	n.	government, administration
12	实行	shíxíng	v.	to carry out
13	黄金周	huángjīnzhōu	n.	the Golden week
14	休假	xiū jià		to take a vacation
15	制度	zhìdù	n.	system, regulation
16	五一	Wǔ-Yī	n.	the International Labour Day
17	十一	Shí-Yī	n.	the National Day of China
18	难得	nándé	adj.	hard to come by
19	旅行社	lǚxíngshè	n.	travel agency
20	海边	hǎibiān	n.	seaside, beach
21	晒	shài	v.	to shine on, to bask in the sun
22	草原	cǎoyuán	n.	grassland
23	马	mǎ	n.	horse
24	制订	zhìdìng	v.	to lay down, to work out
25	省	shěng	n.	province
26	普通	pǔtōng	adj.	common, ordinary
27	青年	qīngnián	n.	youth, young people
28	外国	wàiguó	n.	foreign country

 **专有名词** **Proper Nouns**

1 河北省	Héběi Shěng	Hebei Province
2 黄河	Huáng Hé	the Yellow River
3 长江	Cháng Jiāng	the Yangtze River

语言点 **Language Points**

1 只有……才…… Only if，provided that

● 只有春节才能连着休息六七天。

① 他不太喜欢喝酒，只有特别高兴的时候，才喝一点儿。

② 只有你爱别人，别人才会爱你。

③ 这件事只有这么办才能办好。

2 一方面……，另一方面…… On the one hand..., on the other hand...

● 一方面决定去什么地方，另一方面再联系好旅行社。

▲ 用于从两个方面提出理由或做出评论。例如：

This pattern is usually used to provide reasons or make comments from two perspectives. For example,

① 我来中国，一方面是因为我喜欢汉语，另一方面是因为我想交中国朋友。

② 很多人来北京都要吃烤鸭，一方面是因为烤鸭很好吃，另一方面也是因为烤鸭很有名。

③ 看电视一方面可以帮助我们提高汉语水平，另一方面也会浪费时间。

④ 手机一方面给我们的生活带来了很多方便，另一方面也会带来一些麻烦。

3 数量词重叠 Reduplication of the quantifier

● 现在她已经制订了一个大计划：一个省一个省地看，一个地方一个地方地走。

一 + mw.（+ n.）+ 一 + mw.（+ n.）+ 地 +V

▲ 用来描写动作行为一个接一个地发生。例如：

This pattern is used to describe the actions which take place one by one. For example,

①饭要一口一口地吃，事要一件一件地做。

②他很苦恼，一杯一杯不停地喝酒。

③他很喜欢看小说，一本一本地看，看完一本又看一本。

Exercises in Class

一 语言点练习 Grammatical exercises

翻译下面的句子 Translate the sentences into Chinese

（1）Only if you are concerned about other people, will other people be concerned about you.

（2）Only proficent Chinese students can undertand Chinese news broadcast.

（3）Only if you forgive him, can you be not vexed anymore.

（4）Only if there are some common topics we're both interested, can we be good friends.

（5）Only if you think about this issue from another angle, will you be able to understand him.

二 任务型练习 Task-based exercises

1. 两人活动：学生两人一组，一人扮演记者，一人扮演课文中的"姐姐"，记者采访"姐姐"对黄金周的看法。

   Pair work：Two students are in a group. One student plays the role of a reporter. The other student plays the role of the sister in the text. The reporter is trying to find out the sisiter's opinion about the Golden week.

2. 辩论活动：不开心的时候喝酒是不是一个好办法？如果是，为什么？如果不是，你有什么办法？

   Debate：Is it a good way to drink when you are unhappy? If it is, why? If it is not, what's your way?

   要求：辩论双方都必须使用下面的语言点：

   You're required to use the following language points:

   一方面……，另一方面……　　只有……才……　　一＋mw.＋一＋mw.＋地＋V

3. 班级活动：谈谈自己国家的人一般怎么过假期。

   Class work：How do people spend holidays in your own country? Talk about it.

三 扩展阅读 Extensive reading

游长城

　　有人说没去过长城就不能说到过中国，所以我早就想去长城看看了。上个周末，我终于看到了世界七大奇迹之一的长城。长城真的非常伟大！在太阳下面，站在又高又长的长城上，看着远处那么漂亮的风景，我非常感动！登长城的时候，我还遇到了两位老人，他们在国外生活了四十多年，这是他们四十年来第一次回到祖国。过去，虽然他们也很想念祖国，但是因为工作太忙，生活很紧张，没有时间回来。现在他们都退休了，终于回到了久别的祖国。

　　在与老人聊天儿的时候，我们的旁边上来一群年轻的学生，他们说着笑着，一路跑了过去。看着这对老人满头的白发，听着年轻学生愉快的笑声，摸着古老的城墙，我有一种特别的感觉。历史在这儿相遇了，我好像回到了过去，又好像进入了未来。古老的长城永远站在这儿，看着它的儿女，也看着世界各地的人们。

　　我希望以后有机会再去长城。

奇迹	qíjì　n.　miracle
感动	gǎndòng　adj.　be moved
祖国	zǔguó　n.　motherland
退休	tuìxiū　v.　to retire
群	qún　mw.　*measure word*, group
相遇	xiāngyù　v.　to meet (each other)

回答问题　Answer the questions

你第一次登长城的时候有什么感受？在你们国家，有没有一个像长城一样的地方？

22 Yī Ge Diànhuà
一个电话

我儿子上初中三年级的时候，他父亲去世了。父亲去世后，他的性格有了很大的变化，学习成绩一天比一天差。我想了各种办法帮助他，但是我越想帮他，他离我越远，不愿意和我谈话。学期结束时，他已经缺课九十五

次，物理、化学和外语考试都不及格。这样看来，他很有可能连初中都毕不了业。我很着急，用了各种各样的办法，但是，批评和表扬都没有用。他还是老样子。

有一天，我正在上班，突然接到一个电话。一个男人说他是学校的辅导老师："我想和您谈谈张亮缺课的情况。"

我把自己的苦恼和对儿子的爱都告诉了这个陌生人。最后我说："我爱儿子，我不知道该怎么办。看着他那个样子，我很难过。我想了各种办法，想让他重新喜欢学校，但是……唉，这一切都没有作用，我已经没有办法了。"

我说完以后，电话那头儿没有回答。过了一会儿，那位老师说："谢谢您抽时间和我谈话。"说完就挂上了电话。

儿子的下一次成绩单来了，我高兴地看到他的学习有了很大的进步。

一年过去了，儿子上了高中。在一次家长会上，老师表扬了他的进步。

回家的路上，儿子问我："妈妈，还记得一年前那位给您打电话的辅导老师吗？"

我点了点头。

"那是我。"儿子说，"我本来是想和您开个玩笑的，但是听了您的话，我心里很难过。那时候，我才知道，爸爸去世了，您多不容易啊！我下决心，一定要成为您的骄傲。"

（选自《文萃》编译：陈明）

Wǒ érzi shàng chūzhōng sān niánjí de shíhou, tā fùqin qùshì le. Fùqin qùshì hòu, tā de xìnggé yǒu le hěn dà de biànhuà, xuéxí chéngjì yì tiān bǐ yì tiān chà. Wǒ xiǎng le gè zhǒng bànfǎ bāngzhù tā, dànshì wǒ yuè xiǎng bāng tā, tā lí wǒ yuè yuǎn, bú yuànyì hé wǒ tánhuà. Xuéqī jiéshù shí, tā yǐjīng quē kè jiǔshíwǔ cì, wùlǐ, huàxué hé wàiyǔ kǎoshì dōu bù jígé. Zhèyàng kànlái, tā hěn yǒu kěnéng lián chūzhōng dōu bì bu liǎo yè. Wǒ hěn zháojí, yòng le gè zhǒng gè yàng de bànfǎ, dànshì, pīpíng hé biǎoyáng dōu méiyǒu yòng. Tā háishi lǎo yàngzi.

Yǒu yì tiān, wǒ zhèngzài shàngbān, tūrán jiēdào yí ge diànhuà. Yí ge nánrén shuō tā shì xuéxiào de fǔdǎo lǎoshī: "Wǒ xiǎng hé nín tántan Zhāng Liàng quē kè de qíngkuàng."

Wǒ bǎ zìjǐ de kǔnǎo hé duì érzi de ài dōu gàosu le zhège mòshēngrén. Zuìhòu wǒ shuō: "Wǒ ài érzi, wǒ bù zhīdào gāi zěnme bàn. Kàn zhe tā nàge yàngzi, wǒ hěn nánguò. Wǒ xiǎng le gè zhǒng bànfǎ, xiǎng ràng tā chóngxīn xǐhuan xuéxiào, dànshì……Āi, zhè yíqiè dōu méiyǒu zuòyòng, wǒ yǐjīng méiyǒu bànfǎ le."

Wǒ shuōwán yǐhòu, diànhuà nà tóur méiyǒu huídá. Guò le yíhuìr, nà wèi lǎoshī shuō: "Xièxie nín chōu shíjiān hé wǒ tánhuà." Shuōwán jiù guàshang le diànhuà.

Érzi de xià yí cì chéngjìdān lái le, wǒ gāoxìng de kàndào tā de xuéxí yǒu le hěn dà de jìnbù.

Yì nián guòqu le, érzi shàng le gāozhōng. Zài yí cì jiāzhǎnghuì shang, lǎoshī biǎoyáng le tā de jìnbù.

Huí jiā de lùshang, érzi wèn wǒ: "Māma, hái jìde yì nián qián nà wèi gěi nín dǎ diànhuà de fǔdǎo lǎoshī ma?"

Wǒ diǎn le diǎn tóu.

"Nà shì wǒ." Érzi shuō, "Wǒ běnlái shì xiǎng hé nín kāi ge wánxiào de. Dànshì tīng le nín de huà, wǒ xīnli hěn nánguò. Nà shíhou, wǒ cái zhīdào, bàba qùshì le, nín duō bù róngyì a! Wǒ xià juéxīn, yídìng yào chéngwéi nín de jiāo'ào."

 **New Words and Expressions**

1 儿子	érzi	n.	son
2 去世	qùshì	v.	to die, to pass away
3 性格	xìnggé	n.	disposition, temperament
4 成绩	chéngjì	n.	result, grade
5 愿意	yuànyì	aux.	to be willing
6 谈话	tán huà		to talk
7 结束	jiéshù	v.	to finish, to end
8 缺课	quē kè		to be absent from class
9 物理	wùlǐ	n.	physics
10 化学	huàxué	n.	chemistry
11 外语	wàiyǔ	n.	foreign language
12 及格	jí gé		to pass (a test)
13 连……也 / 都……	lián…… yě/dōu……		even
14 批评	pīpíng	v.	to criticise
15 表扬	biǎoyáng	v.	to praise
16 唉	āi	interj.	sound of a deep breath
17 作用	zuòyòng	n.	result, effect
18 回答	huídá	v.	to answer
19 成绩单	chéngjìdān	n.	school report
20 家长	jiāzhǎng	n.	parent or guardian of a child
21 会	huì	n.	meeting
22 记得	jìde	v.	to remember
23 点头	diǎn tóu		to nod
24 本来	běnlái	adv.	originally, at first
25 开玩笑	kāi wánxiào		to make fun of
玩笑	wánxiào	n.	joke, jest
26 决心	juéxīn	n.	determination
27 成为	chéngwéi	v.	to become

| 28 骄傲 | jiāo'ào | adj. | proud |

语言点 Language Points

1 一天比一天 / 一年比一年　Day by day / year by year

● 学习成绩一天比一天差。

①你怎么一天比一天瘦？有什么不开心的事儿吗？

②人们的生活一年比一年好了。

2 越……越……　The more... the more...

● 我越想帮他，他离我越远。

①雨越下越大，怎么办？

②我越爬越累，只好停下来休息一会儿。

③十多岁的孩子有时会坚持自己的看法，不愿意听父母的话，父母越说，他们越不听。

3 连……也/都……　Even

● 他很有可能连初中都毕不了业。

①这个汉字太难了，连老师也不认识。

　这个汉字太简单了，连三岁的孩子都认识。

②我去过的地方很少，连长城也没去过。

　他去过很多地方，连南极（Nánjí, the South pole）都去过。

③他很努力，连星期天都去图书馆看书。

　他一点儿也不努力，连考试前也不好好儿复习。

4 V上

● 说完就挂上了电话。

▲ 表示动作后某物附着在另外的东西上。例如：

This pattern is used to indicate that something is attached to another thing after the action. For example,

①你怎么把电话挂上了？我还没说完呢！

② 戴上帽子，跟我走吧。

③ 写上你的名字。

课堂练习　Exercises in Class

一 语言点练习　Grammatical exercises

1. 用"越……越……"造句　Make sentences with 越……越……

（1）吃　　　　　　　胖

（2）学　　　　　　　喜欢学

（3）长　　　　　　　漂亮

（4）聊　　　　　　　开心

（5）老师讲　　　　　学生不明白

（6）妈妈批评　　　　孩子不听话

（7）妈妈表扬　　　　孩子的学习成绩好

（8）年纪大　　　　　人生经验

2. 用"连……也/都……"造句　Make sentences with 连……也/都……

（1）问题很容易　　　三岁的孩子

（2）问题很难　　　　老师

（3）烤鸭好吃　　　　外国人

（4）那个中国菜不好吃　中国人

（5）能喝酒　　　　　56度的白酒

（6）不能喝酒　　　　啤酒

（7）会说很多外语　　俄语

（8）不会说外语　　　英语

（9）工作忙　　　　　春节

（10）太懒　　　　　　周一

（11）生活好　　　　　农村

（12）生活不好　　　　大城市

二 任务型练习　Task-based exercises

1. 两人活动：学生两人一组，一人扮演妈妈，一人扮演儿子，表演课文里的故事。

   Pair work：Two students are in a group. One student plays the role of the mother. One student plays the role of the son. Act out the story in the text.

2. 两人活动：学生两人一组，谈谈对中国菜的印象。

   Pair work：Two students are in a group, talking out their impressions on Chinese dishes.

   要求：使用下面的语言点：

   You're required to use the following language points:

   连……也 / 都……　越……越……　一天比一天

3. 小组活动：学生四人一组，做电视访谈节目。一人扮演电视台的主持人，其他三人分别扮演教育家、家长和老师，其中一个人要讲一个孩子的故事。

   Group work：Four students are in a group. making a television interview. One student plays the role of the TV host, and the other three students play the roles of the educator, parent and teacher respectively. One of them is going to tell a story about a child.

   话题：谈谈与孩子沟通的问题。

   Topic：How to communicate with children.

三 扩展阅读　Extensive reading

第一次打工

　　大学一年级的寒假，我没有去旅行，做了一个月的家教。那是我第一次打工。

　　我的学生家里很有钱，他也挺聪明，但是他看起来很不开心，学习成绩也不太好。后来我才发现，他的功课多得不得了：物理、化学、法语、电脑……课余时间被安排得满满的。他只好整天整天地待在房间里学习，渐渐地，他失去了对学习的兴趣。

　　刚开始的时候，他一点儿也不认真听讲，不预习也不复习。有一次，他又没有做作业，我决定批评他。可是，我刚批评了他一句，他就故意大声地哭了起来。他妈妈走进来，十分不满地说："下次最好不要再发生这样的事儿了。"

　　我非常生气，但是，我不愿意放弃。我下决心让这个孩子重新喜欢上学习，不管遇到多大的困难，

词语	拼音	词性	释义
家教	jiājiào	n.	family teacher
打工	dǎ gōng		to work (usu. temporarily)
课余	kèyú	n.	after school
听讲	tīng jiǎng		to listen to a talk
故意	gùyì	adj.	intentionally
放弃	fàngqì	v.	to give up
不管	bùguǎn	conj.	no matter

我都要坚持下去。后来，我想了各种办法和他沟通，了解他的想法，慢慢地，他开始相信我了，我们的关系变得好起来了。等寒假结束的时候，我们俩成了好朋友。

　　这个寒假的打工生活让我明白了两个道理：一是钱不一定能让我们幸福；二是只要努力就一定能成功。

　　你们同意吗？

沟通　gōutōng　v.　to communicate

回答问题　Answer the questions

（1）这个孩子为什么不开心？

（2）"我"批评孩子太厉害了，所以他哭了，是吗？

（3）通过这件事，"我"明白了什么道理？

我姓范

上大学的时候，班上的同学都是从不同的地方考来的，连姓都没有一样的。记得刚开学的时候，班主任叫同学们一起聚餐，既作为新学期第一次班会，也算是大家的第一次沟通。

吃饭前，班主任说："同学们刚来报到，互相还不熟悉，我们先做个自我介绍吧。"于是，从班主任开始，大家一个一个地介绍自己的姓名、从什么地方来等等。紧挨着班主任的同学姓汤，他开玩笑说："就是肉丝汤的汤。"接着，旁边的同学介绍自己姓蔡，大家一边笑一边说："不是蔬菜的菜吧？如果是，我们这顿饭就不用点菜了。"正说着，一个同学不好意思地站了起来，小声说："我姓范……"大家终于忍不住了，哈哈大笑起来。

Wǒ Xìng Fàn

Shàng dàxué de shíhou, bānshang de tóngxué dōu shì cóng bù tóng de dìfang kǎolai de, lián xìng dōu méiyǒu yíyàng de. Jìde gāng kāixué de shíhou, bānzhǔrèn jiào tóngxuémen yìqǐ jùcān, jì zuòwéi xīn xuéqī dì yī cì bānhuì, yě suàn shì dàjiā de dì yī cì gōutōng.

Chī fàn qián, bānzhǔrèn shuō: "Tóngxuémen gāng lái bàodào, hùxiāng hái bù shúxi, wǒmen xiān zuò ge zìwǒ jièshào ba." Yúshì, cóng bānzhǔrèn kāishǐ, dàjiā yí ge yí ge de jièshào zìjǐ de xìngmíng, cóng shénme dìfang lái děngděng. Jǐn āi zhe bānzhǔrèn de tóngxué xìng Tāng, tā kāi wánxiào shuō:

"Jiù shì ròusītāng de tāng." Jiēzhe, pángbiān de tóngxué jièshào zìjǐ xìng Cài, dàjiā yìbiān xiào yìbiān shuō: "Bú shì shūcài de cài ba? Rúguǒ shì, wǒmen zhè dùn fàn jiù búyòng diǎn cài le." Zhèng shuō zhe, yí ge tóngxué bù hǎoyìsi de zhàn le qǐlái, xiǎo shēng shuō: "Wǒ xìng Fàn……" Dàjiā zhōngyú rěn bu zhù le, hāhā dà xiào qǐlái.

改变不了

　　从前，有一个女人，别人送她一个外号——"馋老婆"。因为她太爱吃，不管说什么，都得说吃的东西。

　　有一天，丈夫准备去参加一个宴会，让她看看天气怎么样。她开门看了看，进了屋子就说："哎呀，天正下雪，大得很呢！雪白得就像牛奶一样。"

　　"雪下得有多厚？"

　　"有烙饼那么厚。"

　　丈夫一看馋老婆的老毛病又犯了，就打了她一巴掌，说："你以后少说吃的东西！再说的话，我非打你不可。"馋老婆摸着脸说："我记住了，再也不敢了。你好狠心啊，把我的脸打得像馒头似的。"

　　女儿一看妈妈挨了打，就哭了。馋老婆抱着孩子，一边给孩子擦眼泪一边说："好孩子，别哭了。你哭的声音就像吃面包。"

Gǎibiàn Bù liǎo

　　Cóngqián, yǒu yí ge nǚrén, biéren sòng tā yí ge wàihào —— "chán lǎopo". Yīnwèi tā tài ài chī, bùguǎn shuō shénme, dōu děi shuō chī de dōngxi.

　　Yǒu yì tiān, zhàngfu zhǔnbèi qù cānjiā yí ge yànhuì, ràng tā kànkan tiānqì zěnmeyàng. Tā kāi mén kàn le kàn, jìn le wūzi jiù shuō: "Āiyā, tiān zhèng xià xuě, dà de hěn ne! Xuě bái de jiù xiàng niúnǎi yíyàng."

"Xuě xià de yǒu duō hòu?"

"Yǒu làobǐng nàme hòu."

Zhàngfu yí kàn chán lǎopo de lǎo máobing yòu fàn le, jiù dǎ le tā yì bāzhang, shuō: "Nǐ yǐhòu shǎo shuō chī de dōngxi! Zài shuō dehuà, wǒ fēi dǎ nǐ bùkě." Chán lǎopo mō zhe liǎn shuō: "Wǒ jìzhù le, zài yě bù gǎn le. Nǐ hǎo hěnxīn a, bǎ wǒ de liǎn dǎ de xiàng mántou shìde."

Nǚ'ér yí kàn māma ái le dǎ, jiù kū le. Chán lǎopo bào zhe háizi, yìbiān gěi háizi cā yǎnlèi yìbiān shuō: "Hǎo háizi, bié kū le. Nǐ kū de shēngyīn jiù xiàng chī miànbāo."

New Words and Expressions

1 开学	kāi xué		to start school
2 班主任	bānzhǔrèn	n.	head, teacher in charge of a class
3 叫	jiào	v.	to ask, to let
4 聚餐	jù cān		to have a dinner party
5 既	jì	conj.	not only... but also...
6 班会	bānhuì	n.	classwide meeting
7 沟通	gōutōng	v.	to communicate
8 报到	bào dào		to register, to check in
9 于是	yúshì	conj.	thereupon, hence
10 紧	jǐn	adj.	tight, close
11 挨	āi	v.	to be next to (*offen used with* 着)
12 接着	jiēzhe	v.	to follow (*a speech or action*)
13 顿	dùn	mw.	*measure word* (*for meals, etc.*)
14 小声	xiǎo shēng		unloudly
15 哈哈	hāhā	ono.	ha ha, laugh heartily
16 从前	cóngqián	n.	once upon a time
17 外号	wàihào	n.	nickname
18 馋	chán	adj.	greedy, ravenous
19 老婆	lǎopo	n.	wife
20 不管……都……	bùguǎn……dōu……		no matter

21	宴会	yànhuì	n.	banquet, feast
22	屋子	wūzi	n.	room
23	牛奶	niúnǎi	n.	milk
24	烙饼	làobǐng	n.	pancake made of dough seasoned with oil and salt
25	犯	fàn	n.	to have recurrence of (*wrong or bad things*)
26	非……不可	fēi…… bù kě		must
27	摸	mō	v.	to touch
28	脸	liǎn	n.	face
29	敢	gǎn	aux.	dare
30	狠心	hěnxīn	adj.	cruel, heartless
31	馒头	mántou	n.	steamed bread
32	似的	shìde	part.	as if, seem
33	女儿	nǚ'ér	n.	daughter
34	挨打	ái dǎ		to get a beating
35	哭	kū	v.	to cry
36	抱	bào	v.	to hug, to embrace
37	擦	cā	v.	to wipe, to clean
38	眼泪	yǎnlèi	n.	tear
39	声音	shēngyīn	n.	sound, voice
40	面包	miànbāo	n.	bread

◉ 专有名词 Proper Nouns

1	汤	Tāng	a surname of Chinese people
2	蔡	Cài	a surname of Chinese people
3	范	Fàn	a surname of Chinese people

语言点 Language Points

1 既……也…… Not only... but also...

● 既作为新学期第一次班会，也算是大家的第一次沟通。

① 她既不聪明，也不漂亮，可是为什么有那么多人喜欢她？

② 我们既不知道该干什么，也不知道该去哪里，你告诉我们吧。

③ 他既会英语，也会日语。

2 不管……都…… No matter...

● 不管说什么，都得说吃的东西。

① 不管愿意不愿意，你都得去。

② 他每天坚持跑步，不管刮风还是下雨，都要跑。

③ 不管你说什么，我们都不想听。

④ 不管多难，他都要坚持下去。

3 adj. 得很

● 天正下雪，大得很呢！

▲ 表示程度高。例如：

This expression indicates a high degree. For example，

① 那个孩子聪明得很，每门功课都很好。

② 这里的冬天冷得很，你得多穿衣服。

4 再V的话，…… If... still..., then...

● 再说的话，我非打你不可。

① 你再这样玩儿下去的话，一定考不上大学。

② 你再不起床的话，上课就要迟到了。

③ 我们再不走的话，就来不及了。

5 非……不可 Must, have to

● 再说的话，我非打你不可。

① 孩子特别喜欢那个玩具 (wánjù, toy)，非要不可，妈妈只好给他买了一个。

②要学好汉语，非努力不可。

③我非去不可，你别劝 (quàn, to advise) 我。

6 再也不/没+V

● 我记住了，再也不敢了。

▲加强否定语气。例如：

This pattern is used to emphasize the negation. For example,

①毕业后，我们再也没见过面。

②你走吧，我再也不想见到你了。

③那家饭店的菜又贵又不好吃，以后我再也不去那儿吃了。

课堂练习   Exercises in Class

一 语言点练习   Grammatical exercises

1. 用"非……不可"完成句子   Complete the sentences with 非……不可

（1）你再不告诉我的话，＿＿＿＿＿＿＿＿＿＿＿＿＿。

（2）你又不及格了，你看着吧，今天晚上回家，＿＿＿＿＿＿＿＿＿＿＿＿＿。

（3）不，不，我要吃糖，＿＿＿＿＿＿＿＿＿＿＿＿＿。

（4）你别担心，＿＿＿＿＿＿＿＿＿＿＿＿＿。

（5）你的肺已经有问题了，＿＿＿＿＿＿＿＿＿＿＿＿＿。

（6）今天的菜＿＿＿＿＿＿＿＿＿＿＿＿＿，到明天就没有人买了。

2. 用"再 V 的话，……"完成句子   Complete the sentences with 再 V 的话，……

（1）别看了，＿＿＿＿＿＿＿＿＿＿＿＿＿＿＿＿＿。

（2）你别哭了，＿＿＿＿＿＿＿＿＿＿＿＿＿＿＿＿＿。

（3）别吃了，＿＿＿＿＿＿＿＿＿＿＿＿＿＿＿＿＿。

（4）快睡觉吧，＿＿＿＿＿＿＿＿＿＿＿＿＿＿＿＿＿。

（5）快告诉我吧，＿＿＿＿＿＿＿＿＿＿＿＿＿＿＿＿＿。

（6）你得抓紧时间学习了，＿＿＿＿＿＿＿＿＿＿＿＿＿＿＿＿＿。

3. 用"再也不/没 + V"回答问题　Answer the questions with 再也不/没 + V

（1）我记得你们以前是好朋友，现在你怎么都不知道他在哪里呢？

（2）以前你们常常一起去旅行，现在还一起去吗？

（3）你不抽烟了吗？

（4）现在的罗马跟以前差不多吧？

（5）你和儿子的关系怎么样了？

（6）大学毕业了，工作以后感觉怎么样？

二 任务型练习　Task-based exercises

1. 小组活动：学生四人一组，表演第一个笑话。

Group work：Four students are in a group, acting out the first joke.

2. 小组活动：学生三人一组，分别扮演丈夫、妻子、女儿，表演第二个笑话。

Group work：Three students in a group play the roles of the husband, wife and daughter respectively, acting out the second joke.

3. 两人活动：学生两人一组，谈谈减肥。

Pair work：Two students are in a group, talking about weight-losing.

要求：使用下面的语言点：

You're required to use the following language points:

再 V 的话　连……也……　再也不/没……　V 不了

少 V　非……不可　adj. 得很　不管……都……　既……也……

三 扩展阅读　Extensive reading

我把什么东西丢了

琼斯太太：我把什么东西忘了，可是我想不起来是什么。服务员，请帮我找找，好吗？

服务员：　您是把护照忘了吧？琼斯太太。

琼斯太太：护照？嗯，在这儿呢。船票也在这儿……我把什么掉了呢？

服务员：　您的行李都在吗？

琼斯太太：让我看看，一、二、三、四、五，

琼斯	Qióngsī	pn.	Jones
太太	tàitai	n.	madam
护照	hùzhào	n.	passport
船	chuán	n.	ship

五件，全都在这儿。

服务员： 我看，您没有忘掉什么东西。

琼斯太太：不，我真的丢了点儿什么，不过实在想不起来了。

服务员： 您别太着急，反正重要的东西都在。好了，请上船吧，很快就要开船了。哎，琼斯先生到哪儿去了？

琼斯太太：琼斯先生？噢，我想起来了，我就是把他丢了。

实在 shízài adv. really

反正 fǎnzhèng adv. anyway

读完这个笑话后，请你也讲一个笑话吧

After reading the joke, please tell your own one

从前，有一位很有名的哲学家，迷倒了不少女孩子。

有一天，一个姑娘来敲他的门说："让我做你的妻子吧！错过我，你就找不到比我更爱你的女人了！"

哲学家虽然很喜欢她，但仍然回答说："让我考虑考虑。"

然后，哲学家用他研究哲学问题的精神，把结婚和不结婚的好处与坏处分别列了出来。他发现，这个问题有些复杂，好处和坏处差不多一样多，真不知道该怎么决定。

最后，他终于得出一个结论：人如果在选择面前无法做决定的话，应该选择没有经历过的那一个。

哲学家去找那个姑娘，对她的父亲说："您的女儿呢？我考虑清楚了，我决定娶她！"

但是，他被姑娘的父亲挡在了门外。他得到的回答是："你来晚了十年，我女儿现在已经是三个孩子的妈妈了！"

哲学家几乎不能相信自己的耳朵，他非常难过。

两年后，他得了重病。临死前，他把自己所有的书都扔进火里，只留下一句话："如果把人生分成两半，前半段的人生哲学是'不犹豫'，后半段的人生哲学是'不后悔'。"

（选自《文萃》）

Cóngqián, yǒu yí wèi hěn yǒumíng de zhéxuéjiā, mídǎo le bù shǎo nǚháizi.

Yǒu yì tiān, yí ge gūniang lái qiāo tā de mén shuō: "Ràng wǒ zuò nǐ de qīzi ba! Cuòguò wǒ, nǐ jiù zhǎo bu dào bǐ wǒ gèng ài nǐ de nǚrén le!"

Zhéxuéjiā suīrán hěn xǐhuan tā, dàn réngrán huídá shuō: "Ràng wǒ kǎolǜ kǎolǜ."

Ránhòu, zhéxuéjiā yòng tā yánjiū zhéxué wèntí de jīngshen, bǎ jiéhūn hé bù jiéhūn de hǎochu yǔ huàichu fēnbié liè le chulai. Tā fāxiàn, zhège wèntí yǒuxiē fùzá, hǎochu hé huàichu chàbuduō yíyàng duō, zhēn bù zhīdào gāi zěnme juédìng.

Zuìhòu, tā zhōngyú déchū yí ge jiélùn: rén rúguǒ zài xuǎnzé miànqián wúfǎ zuò juédìng de huà, yīnggāi xuǎnzé méiyǒu jīnglì guo de nà yí ge.

Zhéxuéjiā qù zhǎo nàge gūniang, duì tā de fùqin shuō: "Nín de nǚ'ér ne? Wǒ kǎolǜ qīngchu le, wǒ juédìng qǔ tā!"

Dànshì, tā bèi gūniang de fùqin dǎng zài le mén wài. Tā dédào de huídá shì: "Nǐ láiwǎn le shí nián, wǒ nǚ'ér xiànzài yǐjīng shì sān ge háizi de māma le!"

Zhéxuéjiā jīhū bù néng xiāngxìn zìjǐ de ěrduo, tā fēicháng nánguò.

Liǎng nián hòu, tā dé le zhòng bìng. Lín sǐ qián, tā bǎ zìjǐ suǒyǒu de shū dōu rēngjìn huǒ li, zhǐ liúxia yí jù huà: "Rúguǒ bǎ rénshēng fēnchéng liǎng bàn, qián bàn duàn de rénshēng zhéxué shì 'bù yóuyù', hòu bàn duàn de rénshēng zhéxué shì 'bú hòuhuǐ'."

词语表 New Words and Expressions

1 哲学家	zhéxuéjiā	n.	philosopher
2 迷	mí	v.	to enchant
3 姑娘	gūniang	n.	girl, lady
4 敲	qiāo	v.	to knock at
5 妻子	qīzi	n.	wife
6 错过	cuòguò	v.	to miss
7 仍然	réngrán	adv.	still
8 研究	yánjiū	v.	to study, to research
9 哲学	zhéxué	n.	philosophy

10	精神	jīngshen	n.	spirit
11	坏处	huàichu	n.	harm, disadvantage
12	分别	fēnbié	adv.	respectively, separately
13	列	liè	v.	to list
14	复杂	fùzá	adj.	complicated
15	结论	jiélùn	n.	conclusion
16	选择	xuǎnzé	v.	to choose
17	面前	miànqián	n.	in (the) face of, before
18	经历	jīnglì	v.	to experience
19	娶	qǔ	v.	to marry (a woman)
20	被	bèi	prep.	*used in a passive sentence indicating that the subject is the receiver of the action*
21	挡	dǎng	v.	to ward off
22	几乎	jīhū	adv.	almost
23	相信	xiāngxìn	v.	to believe
24	重病	zhòng bìng		serious disease
25	临	lín	v.	just before, on the point of (doing sth.)
26	所有	suǒyǒu	adj.	all
27	分	fēn	v.	to divide, to separate
28	段	duàn	mw.	segment, section, part
29	犹豫	yóuyù	adj.	hesitated

 **Language Points**

1 V 出来

● 把结婚和不结婚的好处与坏处分别列出来。

▲ 表示从隐蔽到显现。例如：

It indicates the appearing of an action process. For example，

① 他从包里拿出来一本书。

② 你能想出一个好办法来吗？

2 "被"字句　被 Sentence

● 他被姑娘的父亲挡在了门外。

▲ 表示被动，"被"引出动作的施事。句型："O＋被（+Agent）+VP"。例如：

被 is used to introduce the agent of the action. Pattern：O＋被（+Agent）+VP. For example,

① 那个苹果被弟弟吃了。/ 这个苹果没被弟弟吃掉。

② 他的自行车被（人）偷走了。/ 他的自行车没被（人）偷走。

③ 他被打了。/ 他没被打。

⚠ 注意：以下几类动词不能用在"被"字句里。

Notice：The following verbs usually can't be used in 被 sentence.

心理活动动词 Mental Verb	希望、同意、愿意、关心、喜欢、生气、害怕、认为……
身体状态动词 Posture Verb	躺、坐、站……
认知感觉动词 Cognitive Verb	明白、懂得、感到、感觉、觉得……

3 临　Just before

● 临死前，他把自己所有的书都扔进火里。

① 临走前，别忘了关门。

② 临睡觉以前，别喝咖啡。

③ 临上飞机时，他给我打了个电话。

④ 临回国的时候，他买了很多礼物。

课堂练习 **Exercises in Class**

一 语言点练习　Grammatical exercises

用"被"字句和结果补语描述图中的故事

Tell the stories according to the pictures with 被 sentence and result complements

（1）

（2）

（3）

（4）

二 任务型练习　Task-based exercises

1. 小组活动：学生四人一组，分别扮演姑娘、父亲、哲学家和记者。

　Group work：Four students in a group play the roles of the girl, father, philosopher and reporter respectively.

　情景：哲学家马上要死了，一位记者来采访他，他给记者讲自己的故事。

　Situation：The philosopher is going to die. The reporter interviews him and tries to know his story.

2. 班级活动：讨论结婚的好处和坏处分别是什么。

　Class work：What are the advantages and disadvantages of marriage? Make a discussion.

3. 两人活动：学生四人一组，讨论下面的问题：你有没有面临过选择？有没有很难做决定的经历？后来你是怎么决定的？

Pair work: Two students are in a group, discussing the following questions: Have you ever been faced with a lot of choices? Do you have such kind of experience that sometimes it is really difficult to make a choice? At last, what is your decision?

三 扩展阅读 Extensive reading

万 幸

有人告诉李涛，大学里最漂亮的女生于娜爱上了他。于娜是三年级学生，长得非常漂亮，很多男生都在追求她。李涛听到这个消息后，站在镜子前面很长时间。从镜子里看，他眼睛小小的，耳朵大大的，鼻子塌塌的，还有满脸的"青春美丽痘"。

"这么难看的脸，她能看上我吗？"李涛叹了一口气，越来越嫌自己长得丑。

"也许，她喜欢我的能力？不可能。"他认为还是他自己最了解自己。

李涛一会儿怀疑这个，一会儿怀疑那个。最后，他想：是不是她只需要有间大房子？现在的姑娘，对她们一定得特别小心。等结完婚，她抢走一半房子就跟我离婚，再跟另一个漂亮的小伙子一起住。不对，这事儿一定不对。

他没敢去冒这个险。

十二年后的一天，他在街上遇到了于娜。于娜还像以前一样好看，她正在读博士，学会了开车，每年夏天都开车带全家人出去旅行。

于娜对他说："你知道吗？以前我爱过你，我现在仍然爱你……"

"老天爷啊，真是万幸，我没跟她结婚。"李涛想，"我当时的感觉没有错。这算什么呢？和丈夫在一起生活了这么多年，竟然还爱另外一个男人。太可怕了！"

（选自《文萃》，编译：王汶）

李涛	Lǐ Tāo	pn. *a name*
于娜	Yú Nà	pn. *a name*
追求	zhuīqiú	v. to pursue, to try to win the love of (sb.)
消息	xiāoxi	n. news, message
塌	tā	adj. sink
痘	dòu	n. (medicine) pock
叹气	tàn qì	to sigh
怀疑	huáiyí	v. to doubt
抢	qiǎng	v. to grab
冒险	mào xiǎn	to take a risk
万幸	wànxìng	adj. by sheer luck
竟然	jìngrán	adv. unexpectedly

回答问题 Answer the question

你觉得李涛怎么样？

上大学的时候，我在一家商店里打工，负责卖点心和咖啡。在这家商店附近，有一个公共汽车站，所以商店的生意很好。每天我都早早地收拾好桌子，摆好椅子，耐心地等着客人来。

每天下午四点钟左右，总有一大群中小学生来这儿喝咖啡。

过了一段时间以后，我渐渐地和他们熟了起来，他们也喜欢和我聊天儿。年纪大一些的女孩子，总是悄悄地给我讲她们的男朋友；较小一点儿的，会告诉我校园里的一些事情。他们一边吃一边聊，一直等到公共汽车开来了，才高高兴兴地离开。

我和他们相处得很好，就像是很亲密的朋友。有人丢了车票，我就会替他买一张。当然，第二天他就会把钱还给我。汽车来晚了，他们还会用店里的电话告诉父母一切都好，让他们放心。

一个星期六的下午，店里来了一位看起来很严肃的先生。我问他："有什么事吗？"他淡淡一笑，说："我是来向你表示感谢的。我知道我的孩子和点心小姐在一起时，他们是安全的。你很了不起，谢谢你！"

于是我有了一个外号，就是"点心小姐"。

又有一天，我在店里接到一个电话，是一位夫人打来的，声音听起来有些着急："我在找我的双胞胎女儿，她们还没有回家。她们是不是在你的店里？"

"对，她们是在我这儿，要我替您捎个话儿吗？"

"好，好，那就太感谢你了。"

几年以后，我离开了这家商店。后来，我有了自己的孩子。我发现他们也常常得到别人的帮助。有一天深夜，一位公共汽车司机一直陪着我的女儿，直到我开车去接她。

于是，我知道，她也遇到了一位真正的"点心小姐"。

（选自《读者》，编译：邓笑）

Shàng dàxué de shíhou, wǒ zài yì jiā shāngdiàn li dǎgōng, fùzé mài diǎnxin hé kāfēi. Zài zhè jiā shāngdiàn fùjìn, yǒu yí ge gōnggòng qìchēzhàn, suǒyǐ shāngdiàn de shēngyi hěn hǎo. Měi tiān wǒ dōu zǎozǎo de shōushi hǎo zhuōzi, bǎihǎo yǐzi, nàixīn de děng zhe kèren lái.

Měi tiān xiàwǔ sì diǎnzhōng zuǒyòu, zǒng yǒu yí dà qún zhōng-xiǎo xuésheng lái zhèr hē kāfēi.

Guò le yí duàn shíjiān yǐhòu, wǒ jiànjiàn de hé tāmen shú le qilai, tāmen yě xǐhuan hé wǒ liáotiānr. Niánjì dà yìxiē de nǚháizi, zǒngshì qiāoqiāo de gěi wǒ jiǎng tāmen de nánpéngyou; jiào xiǎo yìdiǎnr de, yě huì gàosu wǒ xiàoyuán li de yìxiē shìqing. Tāmen yìbiān chī yìbiān liáo, yìzhí děngdào gōnggòng qìchē kāilai le, cái gāogāoxìngxìng de líkāi.

Wǒ hé tāmen xiāngchǔ de hěn hǎo, jiù xiàng shì hěn qīnmì de péngyou. Yǒu rén diū le chēpiào, wǒ jiù huì tì tā mǎi yì zhāng. Dāngrán, dì èr tiān tā jiù huì bǎ qián huán gěi wǒ. Qìchē láiwǎn le, tāmen hái huì yòng diàn li de diànhuà gàosu fùmǔ yíqiè dōu hǎo, ràng tāmen fàngxīn.

Yí ge xīngqīliù de xiàwǔ, diàn li lái le yí wèi kàn qilai hěn yánsù de xiānsheng. Wǒ wèn tā: "Yǒu shénme shì ma?" Tā dàndàn yí xiào, shuō: "Wǒ shì lái xiàng nǐ biǎoshì gǎnxiè de. Wǒ zhīdào wǒ de háizi hé diǎnxin xiǎojie zài yìqǐ shí, tāmen shì ānquán de. Nǐ hěn liǎobuqǐ, xièxie nǐ!"

Yúshì wǒ yǒu le yí ge wàihào, jiù shì "diǎnxin xiǎojie".

Yòu yǒu yì tiān, wǒ zài diàn li jiēdào yí ge diànhuà, shì yí wèi fūrén dǎlai de, shēngyīn tīng qilai yǒuxiē zháojí: "Wǒ zài zhǎo wǒ de shuāngbāotāi nǚ'ér, tāmen hái méiyǒu huí jiā. Tāmen shì bu shì zài nǐ de diàn li?"

"Duì, tāmen shì zài wǒ zhèr, yào wǒ tì nín shāo ge huàr ma?"

"Hǎo, hǎo, nà jiù tài gǎnxiè nǐ le."

Jǐ nián yǐhòu, wǒ líkāi le zhè jiā shāngdiàn. Hòulái, wǒ yǒu le zìjǐ de háizi. Wǒ fāxiàn tāmen yě chángcháng dédào biéren de bāngzhù. Yǒu yì tiān shēnyè, yí wèi gōnggòng qìchē sījī yìzhí péi zhe wǒ de nǚ'ér, zhídào wǒ kāi chē qù jiē tā.

Yúshì, wǒ zhīdào, tā yě yùdào le yí wèi zhēnzhèng de "diǎnxin xiǎojie".

词语表　　New Words and Expressions

1 打工	dǎ gōng		to do manual work (*usu. temporarily*)
2 点心	diǎnxin	n.	light refreshments, dessert
3 负责	fùzé	v.	to be in charge of
4 卖	mài	v.	to sell
5 生意	shēngyi	n.	business, trade
6 椅子	yǐzi	n.	chair
7 耐心	nàixīn	adj.	patient
8 群	qún	mw.	*measure word,* group
9 渐渐	jiànjiàn	adv.	gradually
10 悄悄	qiāoqiāo	adv.	quietly, silently
11 相处	xiāngchǔ	v.	to get along
12 亲密	qīnmì	adj.	intimate, close
13 替	tì	prep.	for, on behalf of
14 还	huán	v.	to return
15 严肃	yánsù	adj.	strict, earnest
16 表示	biǎoshì	v.	to express, to show
17 安全	ānquán	adj.	safe
18 了不起	liǎobuqǐ	adj.	remarkable, terrific
19 接到	jiēdào		to receive
20 夫人	fūrén	n.	madam
21 双胞胎	shuāngbāotāi	n.	twin

22 捎	shāo	v.	to bring to
23 话儿	huàr	n.	message
24 深夜	shēnyè	n.	late night
25 司机	sījī	n.	driver
26 陪	péi	v.	to accompany
27 真正	zhēnzhèng	adj.	real, true, genuine

 **Language Points**

1 是

● 对，她们是在我这儿。

▲ 表示确认强调。例如：

It can be used for confirmation. For example，

① 中国的人口是挺多的，你说得没错。

② 孩子的功课是太多了，应该给他们一点儿玩儿的时间。

2 单元语言点小结　Summary of Language Points

语言点	例句	课号
1. 只有……才……	只有你爱别人，别人才会爱你。	21
2. 一方面……，另一方面……	我来中国，一方面是因为我喜欢汉语，另一方面是因为我想交中国朋友。	21
3. 数量词重叠	饭要一口一口地吃，事要一件一件地做。	21
4. 一天比一天 / 一年比一年	人们的生活一天比一天好了。	22
5. 越……越……	雨越下越大，怎么办？	22
6. 连……也 / 都……	这个字太难了，连老师也不认识。	22
7. V 上	你怎么把电话挂上了？	22
8. 既……也……	她既不聪明，也不漂亮。	23
9. 不管……都……	不管愿意不愿意，你都得去。	23
10. adj. 得很	那个孩子聪明得很。	23

语言点	例句	课号
11. 再 V 的话，……	你再不起床的话，上课就要迟到了。	23
12. 非……不可	要学好汉语，非努力不可。	23
13. 再也不 / 没 + V	毕业后，我们再也没见过面。	23
14. V 出来	我想出来一个好办法。	24
15. "被"字句	那个苹果被弟弟吃了。	24
16. 临	临走前，别忘了关门。	24
17. 是	对，她们是在我这儿。	25

课堂练习　Exercises in Class

一　任务型练习　Task-based exercises

小组活动：学生四人一组，分别扮演点心小姐、丢车票的孩子、给妈妈打电话的孩子、严厉的男人，将咖啡店里的故事表演出来。

Group work: Four students in a group play the roles of the waitress selling desserts, the child who lost the bus ticket, the children who would like to call their mother, and the serious man respectively. Act out the story in the café.

二　扩展阅读　Extensive reading

让你久等了

□ 一个男孩和他的女朋友每次约会总是在一棵大树下见面。那个男孩因为工作的原因，每次都会迟到。每次迟到，他的第一句话都是："对不起，让你久等了。"

□ 那个男孩开始以为是真的，后来有一次他准时到了，但是他故意在旁边等了一个小时才过去，没想到，那女孩还是笑着说出了同样的话。他这才知道，不管他迟到多久，她都会对他说同样的话。

□但是那个女孩总是笑着对他说："还好，我也

准时　zhǔnshí　adj.　on time
故意　gùyì　adv.　intentionally

没有到很久。"

□ 二十几年过去了，男孩回来了。一下飞机，他就去了那棵大树下。但是第一眼看到的全是商店，还没完全走近，他就失望了，大树在哪里呢？

□ 后来，他要去很远的地方工作，临走前他与她约好，如果很多年后他才能回来，回来后如果找不到对方，就记得到这棵大树下等。

□ 他忽然看到不远处有人在卖烟，于是他想，买包烟抽吧。买烟的时候，他惊讶地发现，那个卖烟的妇人就是他以前的女朋友。

□ 没想到她还是对他笑着说："还好，我也没有到很久。"

□ 她一定是怕他回来找不到他，又不知道他什么时候回来，所以才决定在这个地方卖烟等他的。他不知道该说些什么才好，只好轻轻对她说："对不起，让你久等了。"

失望　shīwàng　adj.　disappointed

排序，把上面的段落组成一篇短文

Arrange the above paragraphs and organize a passage

词语索引 Index of Words

	A		
1	挨	āi	23
2	唉	āi	22
3	挨打	ái dǎ	23
4	爱	ài	19
5	爱人	àiren	20
6	安静	ānjìng	15
7	安全	ānquán	25
8	按	àn	12

	B		
9	巴掌	bāzhang	9
10	把	bǎ	11
11	白糖	báitáng	11
12	百	bǎi	10
13	摆	bǎi	10
14	班会	bānhuì	23
15	班主任	bānzhǔrèn	23
16	搬	bān	2
17	搬家	bān jiā	2
18	办	bàn	6
19	办公室	bàngōngshì	6
20	包	bāo	3
21	剥	bāo	16
22	饱	bǎo	5
23	保洁	bǎojié	12
24	报	bào	7
25	报到	bào dào	23
26	抱	bào	23
27	背	bēi	3

28	被	bèi	24
29	本来	běnlái	22
30	本子	běnzi	3
31	比	bǐ	2
32	比	bǐ	8
33	比如说	bǐrú shuō	4
34	笔	bǐ	3
35	必须	bìxū	16
36	边	biān	15
37	变成	biànchéng	9
38	变化	biànhuà	17
39	遍	biàn	21
40	表示	biǎoshì	25
41	表扬	biǎoyáng	22
42	别人	biéren	19
43	冰箱	bīngxiāng	7
44	不但	búdàn	13
45	不管…… 都……	bùguǎn…… dōu……	23
46	不久	bùjiǔ	3
47	不要	búyào	12
48	部	bù	6

	C		
49	擦	cā	23
50	猜	cāi	7
51	菜单	càidān	13
52	菜系	càixì	4
53	参观	cānguān	6
54	餐厅	cāntīng	5

55	灿烂	cànlàn	10
56	苍蝇	cāngying	9
57	操场	cāochǎng	3
58	草	cǎo	10
59	草原	cǎoyuán	21
60	层	céng	9
61	曾经	céngjīng	17
62	差别	chābié	16
63	查	chá	1
64	差	chà	18
65	馋	chán	23
66	产生	chǎnshēng	14
67	尝	cháng	11
68	朝	cháo	10
69	衬衫	chènshān	3
70	成功	chénggōng	14
71	成绩	chéngjì	22
72	成绩单	chéngjìdān	22
73	成为	chéngwéi	22
74	城	chéng	21
75	程度	chéngdù	23
76	抽空儿	chōu kòngr	19
77	臭	chòu	19
78	出来	chūlai	7
79	出生	chūshēng	19
80	出租车	chūzūchē	8
81	除了	chúle	17
82	厨房	chúfáng	2
83	穿	chuān	3
84	穿过	chuānguò	20
85	窗户	chuānghu	9
86	词汇	cíhuì	18
87	瓷	cí	20
88	辞	cí	14
89	次	cì	1

90	从来	cónglái	17
91	从前	cóngqián	23
92	脆	cuì	19
93	错过	cuòguò	24

D

94	打工	dǎ gōng	25
95	带动	dàidòng	20
96	戴	dài	7
97	单元	dānyuán	12
98	但是	dànshì	12
99	淡	dàn	20
100	当	dāng	14
101	当时	dāngshí	18
102	挡	dǎng	24
103	到处	dàochù	4
104	道理	dàolǐ	16
105	得	dé	14
106	登	dēng	10
107	等	děng	18
108	等于	děngyú	14
109	低	dī	10
110	地道	dìdao	13
111	地点	dìdiǎn	6
112	地方	dìfang	4
113	地区	dìqū	10
114	地址	dìzhǐ	12
115	第	dì	5
116	点	diǎn	5
117	点	diǎn	11
118	点头	diǎn tóu	22
119	点心	diǎnxin	25
120	点着	diǎnzháo	11
121	淀粉	diànfěn	11
122	掉	diào	9
123	钉子	dīngzi	9

124	动	dòng	19	157	非……不可	fēi……bù kě	23
125	动物	dòngwù	7	158	分	fēn	24
126	都	dōu	1	159	分别	fēnbié	24
127	读	dú	6	160	……分之……	……fēnzhī……	13
128	读书	dú shū	19	161	丰富	fēngfù	11
129	肚子	dùzi	5	162	封	fēng	13
130	端	duān	20	163	夫人	fūrén	25
131	短	duǎn	4	164	服务	fúwù	12
132	段	duàn	24	165	服务员	fúwùyuán	5
133	对	duì	2	166	幅	fú	10
134	对手	duìshǒu	8	167	辅导	fǔdǎo	18
135	顿	dùn	23	168	父母	fùmǔ	1
	E			169	父亲	fùqin	1
136	儿子	érzi	22	170	负责	fùzé	25
137	而且	érqiě	13	171	附近	fùjìn	10
138	耳朵	ěrduo	7	172	复杂	fùzá	24
	F			173	副	fù	7
139	发达	fādá	4		**G**		
140	发达国家	fādá guójiā	4	174	该	gāi	7
141	发生	fāshēng	6	175	改变	gǎibiàn	16
142	发现	fāxiàn	2	176	敢	gǎn	23
143	发展	fāzhǎn	4	177	感到	gǎndào	9
144	发展中国家	fāzhǎn zhōng guójiā	4	178	感谢	gǎnxiè	3
145	反应	fǎnyìng	19	179	高	gāo	2
146	犯	fàn	23	180	高中	gāozhōng	14
147	饭店	fàndiàn	15	181	告诉	gàosu	5
148	饭馆	fànguǎn	5	182	隔壁	gébì	9
149	方便	fāngbiàn	2	183	个子	gèzi	3
150	方便面	fāngbiànmiàn	5	184	各	gè	13
151	方式	fāngshì	16	185	跟	gēn	5
152	房子	fángzi	2	186	跟	gēn	20
153	房租	fángzū	2	187	公道	gōngdao	5
154	放	fàng	7	188	公司	gōngsī	2
155	飞	fēi	9	189	公寓	gōngyù	2
156	飞机	fēijī	1	190	公园	gōngyuán	12

191	共同	gòngtóng	17
192	沟通	gōutōng	23
193	姑娘	gūniang	24
194	古老	gǔlǎo	10
195	鼓励	gǔlì	6
196	挂	guà	9
197	拐	guǎi	9
198	怪	guài	8
199	关心	guānxīn	19
200	光临	guānglín	15
201	广播	guǎngbō	18
202	广告	guǎnggào	6
203	广告栏	guǎnggàolán	6
204	贵姓	guìxìng	12
205	锅	guō	11
206	国家	guójiā	4
207	过来	guòlai	15
208	过去	guòqu	6
209	过	guo	13

H

210	哈哈	hāhā	23
211	还是	háishi	5
212	海边	hǎibiān	21
213	寒假	hánjià	20
214	行	háng	10
215	航班	hángbān	1
216	好不	hǎobù	8
217	好处	hǎochu	2
218	合适	héshì	2
219	合影	hé yǐng	17
220	河流	héliú	4
221	狠心	hěnxīn	23
222	红色	hóngsè	3
223	后悔	hòuhuǐ	10
224	后来	hòulái	10

225	厚	hòu	20
226	忽然	hūrán	20
227	互相	hùxiāng	13
228	化学	huàxué	22
229	画	huà	14
230	画笔	huàbǐ	14
231	画家	huàjiā	14
232	画儿	huàr	10
233	话儿	huàr	25
234	话题	huàtí	17
235	坏处	huàichu	24
236	坏事	huàishì	17
237	还	huán	25
238	环境	huánjìng	5
239	黄金周	huángjīnzhōu	21
240	回答	huídá	22
241	回忆	huíyì	17
242	会	huì	22
243	会话	huìhuà	13
244	活	huó	16
245	活动	huódòng	6
246	火	huǒ	11
247	火锅	huǒguō	5
248	或者	huòzhě	3

J

249	几乎	jīhū	24
250	机场	jīchǎng	1
251	机会	jīhui	1
252	鸡蛋	jīdàn	11
253	积极	jījí	6
254	基本	jīběn	13
255	及格	jí gé	22
256	急忙	jímáng	8
257	记得	jìde	22
258	既	jì	23

259	加	jiā	11		294	进	jìn	1
260	加	jiā	14		295	进步	jìnbù	2
261	加油	jiā yóu	8		296	进门	jìn mén	1
262	家	jiā	5		297	进去	jìnqu	8
263	家常菜	jiāchángcài	11		298	进行	jìnxíng	13
264	家长	jiāzhǎng	22		299	近	jìn	2
265	价钱	jiàqian	5		300	近视	jìnshì	9
266	坚持	jiānchí	14		301	京剧	jīngjù	18
267	简化字	jiǎnhuàzì	13		302	经常	jīngcháng	5
268	健康	jiànkāng	13		303	经过	jīngguò	20
269	渐渐	jiànjiàn	25		304	经济	jīngjì	15
270	将	jiāng	6		305	经历	jīnglì	24
271	将来	jiānglái	13		306	经验	jīngyàn	19
272	讲	jiǎng	15		307	惊讶	jīngyà	20
273	奖	jiǎng	14		308	精彩	jīngcǎi	8
274	交	jiāo	13		309	精神	jīngshen	24
275	交流	jiāoliú	6		310	敬老院	jìnglǎoyuàn	10
276	郊区	jiāoqū	6		311	酒水	jiǔshuǐ	5
277	骄傲	jiāo'ào	22		312	居民	jūmín	12
278	教	jiāo	11		313	橘子	júzi	7
279	角度	jiǎodù	16		314	举办	jǔbàn	6
280	搅拌	jiǎobàn	11		315	巨龙	jù lóng	10
281	叫	jiào	23		316	句	jù	16
282	教育	jiàoyù	18		317	聚	jù	17
283	接	jiē	1		318	聚餐	jù cān	23
284	接到	jiēdào	25		319	决心	juéxīn	22
285	接着	jiēzhe	23		320	均匀	jūnyún	11
286	街道	jiēdào	20				**K**	
287	洁白	jiébái	20		321	开	kāi	4
288	结果	jiéguǒ	7		322	开锅	kāi guō	11
289	结论	jiélùn	24		323	开玩笑	kāi wánxiào	22
290	结束	jiéshù	22		324	开心	kāixīn	10
291	戒烟	jiè yān	16		325	开学	kāi xué	23
292	今年	jīnnián	13		326	开张	kāizhāng	5
293	紧	jǐn	23		327	看法	kànfǎ	14

328	看见	kànjian	1	361	联系	liánxì	3
329	看来	kànlái	7	362	脸	liǎn	23
330	看中	kànzhòng	12	363	练习	liànxí	2
331	可爱	kě'ài	7	364	凉	liáng	20
332	可口	kěkǒu	11	365	量	liàng	18
333	克	kè	11	366	聊	liáo	17
334	哭	kū	23	367	了	liǎo	19
335	苦恼	kǔnǎo	18	368	了不起	liǎobuqǐ	25
336	块	kuài	15	369	了解	liǎojiě	13
337	块儿	kuàir	11	370	列	liè	24
338	筷子	kuàizi	11	371	临	lín	24
	L			372	零	líng	14
339	蜡烛	làzhú	15	373	留念	liúniàn	17
340	辣	là	5	374	留下	liúxia	16
341	来不及	láibují	9	375	流利	liúlì	2
342	栏	lán	6	376	旅行社	lǚxíngshè	21
343	篮球	lánqiú	6	377	乱	luàn	12
344	浪费	làngfèi	8	378	落	luò	9
345	劳驾	láo jià	12		**M**		
346	老	lǎo	19	379	马	mǎ	21
347	老家	lǎojiā	21	380	马上	mǎshàng	6
348	老婆	lǎopo	23	381	卖	mài	25
349	烙饼	làobǐng	23	382	馒头	mántou	23
350	离	lí	2	383	满	mǎn	7
351	离开	líkāi	17	384	满意	mǎnyì	12
352	里边	lǐbian	15	385	忙碌	mánglù	19
353	里面	lǐmian	3	386	毛	máo	7
354	理想	lǐxiǎng	14	387	美丽	měilì	20
355	厉害	lìhai	8	388	美术	měishù	14
356	立	lì	15	389	迷	mí	24
357	立刻	lìkè	9	390	米	mǐ	3
358	利用	lìyòng	15	391	免费	miǎn fèi	5
359	连……也/都……	lián……yě/dōu……	22	392	免贵	miǎn guì	12
				393	面包	miànbāo	23
360	连着	liánzhe	21	394	面积	miànjī	4

395	面前	miànqián	24
396	民族	mínzú	4
397	名胜古迹	míngshèng gǔjì	4
398	明年	míngnián	13
399	摸	mō	23
400	陌生	mòshēng	17
401	墨镜	mòjìng	7
402	母亲	mǔqīn	1
403	母校	mǔxiào	17
404	目的地	mùdìdì	20

		N	
405	拿	ná	6
406	耐心	nàixīn	25
407	南	nán	3
408	南边	nánbian	12
409	难吃	nánchī	19
410	难道	nándào	18
411	难得	nándé	21
412	难过	nánguò	13
413	难受	nánshòu	16
414	内容	nèiróng	18
415	能够	nénggòu	17
416	能力	nénglì	19
417	嗯	ǹg	11
418	年级	niánjí	14
419	鸟	niǎo	10
420	牛	niú	15
421	牛奶	niúnǎi	23
422	牛排	niúpái	15
423	牛仔裤	niúzǎikù	3
424	农村	nóngcūn	10
425	农民	nóngmín	10
426	弄	nòng	12
427	女儿	nǚ'ér	23
428	女士	nǚshì	5

		O	
429	偶尔	ǒu'ěr	5

		P	
430	爬	pá	8
431	牌子	páizi	15
432	胖	pàng	7
433	陪	péi	25
434	捧	pěng	20
435	碰	pèng	12
436	批评	pīpíng	22
437	飘	piāo	20
438	拼	pīn	20
439	平	píng	8
440	苹果	píngguǒ	7
441	普通	pǔtōng	21
442	普通话	pǔtōnghuà	18

		Q	
443	妻子	qīzi	24
444	其实	qíshí	14
445	其他	qítā	14
446	奇怪	qíguài	1
447	启发	qǐfā	16
448	启事	qǐshì	3
449	起飞	qǐfēi	1
450	起来	qǐlai	8
451	气	qì	8
452	汽车	qìchē	4
453	千	qiān	4
454	千万	qiānwàn	19
455	墙	qiáng	9
456	悄悄	qiāoqiāo	25
457	敲	qiāo	24
458	切	qiē	11
459	亲密	qīnmì	25
460	亲热	qīnrè	17

461	青年	qīngnián	21
462	轻	qīng	9
463	清晨	qīngchén	20
464	清楚	qīngchu	9
465	情况	qíngkuàng	18
466	晴	qíng	1
467	取得	qǔdé	18
468	娶	qǔ	24
469	去年	qùnián	13
470	去世	qùshì	22
471	缺课	quē kè	22
472	群	qún	25

R

473	人家	rénjia	15
474	人口	rénkǒu	4
475	人们	rénmen	4
476	人生	rénshēng	19
477	忍	rěn	15
478	忍不住	rěn bu zhù	15
479	认为	rènwéi	12
480	认真	rènzhēn	20
481	任何	rènhé	16
482	扔	rēng	8
483	仍然	réngrán	24
484	日记	rìjì	1
485	日子	rìzi	17
486	肉	ròu	15

S

487	塞	sāi	7
488	三三两两	sānsānliǎngliǎng	20
489	傻	shǎ	17
490	晒	shài	21
491	山	shān	10
492	山峰	shānfēng	10
493	上	shàng	15

494	上班	shàng bān	4
495	上面	shàngmian	10
496	上去	shàngqu	8
497	上学	shàng xué	4
498	捎	shāo	25
499	稍等	shāo děng	15
500	少数	shǎoshù	4
501	少数民族	shǎoshù mínzú	4
502	社会	shèhuì	18
503	射门	shè mén	8
504	身上	shēnshang	7
505	深刻	shēnkè	16
506	深夜	shēnyè	25
507	生病	shēng bìng	7
508	生意	shēngyi	25
509	声音	shēngyīn	23
510	省	shěng	21
511	胜利	shènglì	8
512	失败	shībài	16
513	十一	Shí-Yī	21
514	石块儿	shíkuàir	20
515	实话	shíhuà	17
516	实惠	shíhuì	15
517	实现	shíxiàn	14
518	实行	shíxíng	21
519	拾	shí	3
520	食物	shíwù	7
521	食指	shízhǐ	10
522	世界	shìjiè	13
523	似的	shìde	23
524	事情	shìqing	14
525	收到	shōudào	13
526	手续	shǒuxù	6
527	受罪	shòu zuì	16
528	输	shū	8

529	熟	shú/shóu	11		563	替	tì	25
530	暑假	shǔjià	17		564	条件	tiáojiàn	12
531	数学	shùxué	8		565	天亮	tiān liàng	17
532	摔	shuāi	9		566	天上	tiānshang	10
533	双胞胎	shuāngbāotāi	25		567	跳	tiào	9
534	水房	shuǐfáng	9		568	贴	tiē	6
535	水果	shuǐguǒ	7		569	听见	tīngjian	8
536	水平	shuǐpíng	2		570	听力	tīnglì	18
537	顺序	shùnxù	12		571	停止	tíngzhǐ	14
538	司机	sījī	25		572	通知	tōngzhī	6
539	丝	sī	15		573	痛快	tòngkuai	17
540	四肢	sìzhī	7		574	头儿	tóur	16
541	似乎	sìhū	17		575	头发	tóufa	3
542	送	sòng	1		576	突然	tūrán	9
543	酸	suān	7		577	团圆	tuányuán	21
544	算	suàn	5		578	推	tuī	8
545	算	suàn	14		579	推销员	tuīxiāoyuán	21
546	算了	suàn le	16		580	腿	tuǐ	9
547	虽然	suīrán	12		581	脱	tuō	9
548	所	suǒ	10			**W**		
549	所有	suǒyǒu	24		582	外国	wàiguó	21
	T				583	外号	wàihào	23
550	T恤衫	T xùshān	10		584	外面	wàimian	2
551	踏	tà	20		585	外衣	wàiyī	15
552	台词	táicí	18		586	外语	wàiyǔ	22
553	态度	tàidu	5		587	完全	wánquán	18
554	谈话	tán huà	22		588	玩笑	wánxiào	22
555	汤	tāng	15		589	晚点	wǎn diǎn	1
556	讨论	tǎolùn	17		590	万	wàn	16
557	套	tào	2		591	往	wǎng	9
558	特点	tèdiǎn	11		592	危险	wēixiǎn	9
559	踢	tī	8		593	围	wéi	6
560	提高	tígāo	13		594	维生素	wéishēngsù	7
561	体育	tǐyù	6		595	尾巴	wěiba	16
562	体育馆	tǐyùguǎn	17		596	为了	wèile	6

597	未来	wèilái	19
598	位	wèi	5
599	味儿	wèir	19
600	温暖	wēnnuǎn	20
601	文化	wénhuà	13
602	闻	wén	11
603	蚊子	wénzi	9
604	问好	wèn hǎo	17
605	卧	wò	10
606	握手	wò shǒu	17
607	乌龟	wūguī	8
608	屋子	wūzi	23
609	五一	Wǔ-Yī	21
610	午饭	wǔfàn	15
611	物	wù	3
612	物理	wùlǐ	22

X

613	西红柿	xīhóngshì	11
614	稀饭	xīfàn	19
615	洗澡	xǐ zǎo	8
616	细	xì	16
617	下班	xià bān	4
618	下来	xiàlai	8
619	下棋	xià qí	12
620	下去	xiàqu	9
621	先生	xiānsheng	3
622	咸	xián	11
623	嫌	xián	19
624	羡慕	xiànmù	21
625	相处	xiāngchǔ	25
626	相信	xiāngxìn	24
627	香	xiāng	11
628	香蕉	xiāngjiāo	16
629	箱子	xiāngzi	12
630	享受	xiǎngshòu	19

631	响	xiǎng	8
632	想法	xiǎngfǎ	16
633	相片	xiàngpiàn	10
634	像	xiàng	4
635	小区	xiǎoqū	12
636	小声	xiǎo shēng	23
637	小时候	xiǎoshíhou	14
638	小心	xiǎoxīn	12
639	笑	xiào	10
640	心	xīn	15
641	辛苦	xīnkǔ	12
642	新闻	xīnwén	18
643	信	xìn	13
644	醒	xǐng	8
645	姓名	xìngmíng	12
646	性格	xìnggé	22
647	雄伟	xióngwěi	10
648	熊猫	xióngmāo	7
649	休假	xiū jià	21
650	选择	xuǎnzé	24
651	学生证	xuéshēngzhèng	6
652	学院	xuéyuàn	6
653	寻	xún	3
654	迅速	xùnsù	11

Y

655	牙齿	yáchǐ	19
656	延长	yáncháng	13
657	延伸	yánshēn	10
658	严肃	yánsù	25
659	研究	yánjiū	24
660	盐	yán	11
661	眼睛	yǎnjing	3
662	眼泪	yǎnlèi	23
663	眼圈	yǎnquān	7
664	演出	yǎnchū	18

665	演员	yǎnyuán	18
666	宴会	yànhuì	23
667	羊	yáng	15
668	羊排	yángpái	15
669	阳光	yángguāng	10
670	样子	yàngzi	3
671	咬	yǎo	19
672	要是	yàoshi	8
673	一边	yìbiān	17
674	一定	yídìng	13
675	一块儿	yíkuàir	8
676	一切	yíqiè	13
677	一下子	yíxiàzi	9
678	一些	yìxiē	5
679	一样	yíyàng	4
680	咦	yí	20
681	以前	yǐqián	2
682	以外	yǐwài	21
683	以为	yǐwéi	14
684	椅子	yǐzi	25
685	亿	yì	4
686	艺术	yìshù	18
687	因为	yīnwèi	9
688	阴	yīn	1
689	印象	yìnxiàng	16
690	营养	yíngyǎng	11
691	赢	yíng	8
692	犹豫	yóuyù	24
693	油	yóu	11
694	游览	yóulǎn	14
695	游戏	yóuxì	10
696	有味儿	yǒu wèir	19
697	右	yòu	10
698	幼儿园	yòu'éryuán	10
699	于是	yúshì	23

700	愉快	yúkuài	17
701	与……无关	yǔ……wúguān	14
702	遇到	yùdào	1
703	原来	yuánlái	2
704	原谅	yuánliàng	13
705	原料	yuánliào	11
706	圆	yuán	7
707	远	yuǎn	2
708	愿	yuàn	20
709	愿望	yuànwàng	21
710	愿意	yuànyì	22
711	约	yuē	17
712	越来越	yuè lái yuè	13
713	云	yún	10
714	运动	yùndòng	6

Z

715	再说	zàishuō	7
716	暂时	zànshí	14
717	早	zǎo	5
718	增加	zēngjiā	18
719	扎啤	zhāpí	15
720	炸	zhá	15
721	站	zhàn	8
722	站	zhàn	10
723	长	zhǎng	3
724	着	zháo	9
725	照	zhào	10
726	照顾	zhàogù	19
727	照相	zhào xiàng	17
728	哲学	zhéxué	24
729	哲学家	zhéxuéjiā	24
730	者	zhě	3
731	着	zhe	3
732	真正	zhēnzhèng	25
733	阵	zhèn	20

734	正点	zhèngdiǎn	1
735	正好	zhènghǎo	14
736	政府	zhèngfǔ	21
737	政治	zhèngzhì	18
738	支	zhī	3
739	只	zhī	9
740	知识	zhīshi	18
741	只要	zhǐyào	14
742	只有……	zhǐyǒu……	21
	才……	cái……	
743	纸	zhǐ	12
744	制订	zhìdìng	21
745	制度	zhìdù	21
746	中餐	zhōngcān	13
747	中介	zhōngjiè	2
748	中指	zhōngzhǐ	10
749	种类	zhǒnglèi	4
750	重	zhòng	12
751	重病	zhòng bìng	24
752	周到	zhōudào	15
753	周围	zhōuwéi	2
754	猪	zhū	15
755	猪排	zhūpái	15
756	竹子	zhúzi	7
757	主要	zhǔyào	2
758	煮	zhǔ	5
759	注意	zhùyì	2
760	祝贺	zhùhè	14
761	专门	zhuānmén	14
762	转	zhuǎn	1
763	转身	zhuǎn shēn	20
764	转眼	zhuǎnyǎn	13
765	壮观	zhuàngguān	4
766	桌子	zhuōzi	12
767	仔细	zǐxì	20
768	总是	zǒngshì	16
769	走散	zǒusàn	3
770	组织	zǔzhī	6
771	最后	zuìhòu	11
772	最近	zuìjìn	5
773	左右	zuǒyòu	3
774	作为	zuòwéi	17
775	作用	zuòyòng	22
776	座	zuò	10
777	座位	zuòwèi	15
778	做法	zuòfǎ	11

专有名词　Proper Nouns

1	安娜	Ānnà	3
2	蔡	Cài	23
3	长城	Chángchéng	10
4	长江	Cháng Jiāng	21
5	德国人	Déguórén	3
6	范	Fàn	23
7	河北省	Héběi Shěng	21
8	华美小区	Huáměi Xiǎoqū	12
9	黄河	Huáng Hé	21
10	罗马	Luómǎ	20
11	欧洲	Ōuzhōu	20
12	泰国	Tàiguó	1
13	汤	Tāng	23
14	西南地区	Xīnán Dìqū	7
15	西山	Xī Shān	12
16	优胜杯	Yōushèng Bēi	6

语言点索引 Index of Language Points

A

adj. 得很	23
A 和 B 一样	4
A 没有 B（＋这么／那么）＋adj.	4

B

"把" 字句（1）	11
"把" 字句（2）	12
百以上的称数法（千、万）	16
"被" 字句	24
"比" 字句	2
不但……而且……	13
不管……都……	23
不再	19

C

才（2）	16
常用结果补语小结（2）	14
除了……（以外）	17
存在句（1）	3
存在句（2）	6

D

都……了	1

F

非……不可	23
复合趋向补语	8

G

该……了	7
概数表达法	3
感叹表达小结	17

H

好不容易／好容易才……	8

J

既……也……	23
简单趋向补语	6
就是	11

K

可能补语	9

L

离	2
连……也／都……	22
临	24

N

难道	18

Q

祈使表达小结	19
强调否定	18

S

时态小结（"了、着、过、呢、正、在"）	19

是	25	形容词重叠	7
是……的	1	**Y**	
数量词重叠	21	一……就……	1
虽然……但是……	12	一边……一边……	17
V		一方面……，另一方面……	21
V 不了 /V 得了	19	一天比一天 / 一年比一年	22
V 出来	24	一 V，……	8
V 过	13	以前	2
V 来 V 去	9	有的……有的……	4
V 起来	11	又……又……	11
V 去	14	越……越……	22
V 上	22	越来越 + adj. / V	13
V 下去	16	**Z**	
V₁ 再 V₂	7	再说……	7
V₁ 着 V₁ 着 V₂	19	再 V 的话，……	23
W		再也不 / 没 + V	23
往 + 方位词 / 地点 + V	9	着	3
为了	6	真是 + 一 + mw. + n.	17
X		只要……就……	14
像……一样	4	只有……才……	21
小数、分数和百分数	13		